C.H.BECK ■ WISSEN
in der Beck'schen Reihe

Das Heilige Römische Reich Deutscher Nation war ein über die Jahrhunderte des Mittelalters allmählich gewachsenes politisches Gebilde, ein lose integrierter Verband sehr unterschiedlicher Glieder, die unter einem gemeinsamen Oberhaupt, dem Kaiser, standen: geistliche und weltliche Herrschaftsträger, wenige Mächtige und viele Mindermächtige, Kurfürsten und Fürsten, Prälaten, Grafen, Ritter und Städte. Um die Wende zur Neuzeit, also um 1500, bildete dieser Verband festere institutionelle Strukturen aus – vor allem Reichstage als Foren der Konsensbildung, das Reichskammergericht und den Reichshofrat als Organe höchster Gerichtsbarkeit und die Reichskreise als regionale Exekutivinstitutionen. Über die inneren Zerreißproben der Glaubensspaltung und des Dreißigjährigen Krieges hinweg hatten diese gemeinsamen Institutionen im Kern drei Jahrhunderte lang Bestand, bevor der ganze Verband dem machtpolitischen Expansionswillen der mächtigsten Glieder – vor allem Brandenburg-Preußen und Österreich – zum Opfer fiel. Barbara Stollberg-Rilinger bietet in diesem Band eine klare und gut verständliche Einführung in die Geschichte des Heiligen Römischen Reiches Deutscher Nation.

Barbara Stollberg-Rilinger lehrt als Professorin für Geschichte der Frühen Neuzeit an der Westfälischen Wilhelms-Universität Münster. Kultur- und Ideengeschichte der Aufklärung, Verfassung und politische Kultur des Alten Reiches in der frühen Neuzeit, Naturrechtslehre und Reichspublizistik, Sozial- und Kulturgeschichte der ständischen Gesellschaft, politisch-soziale Rituale und Zeremonien in der frühen Neuzeit bilden Schwerpunkte ihrer Forschungstätigkeit. Im Jahr 2005 wurde sie mit dem Gottfried-Wilhelm-Leibniz-Preis der Deutschen Forschungsgemeinschaft (DFG) ausgezeichnet.

Barbara Stollberg-Rilinger

DAS
HEILIGE RÖMISCHE REICH
DEUTSCHER NATION

Vom Ende des Mittelalters bis 1806

Verlag C. H. Beck

Mit zwei Abbildungen und einer Karte

1. Auflage. 2006
2. Auflage. 2006
3. Auflage. 2007

4., durchgesehene Auflage. 2009

Originalausgabe
© Verlag C. H. Beck oHG, München 2006
Gesamtherstellung: Druckerei C. H. Beck, Nördlingen
Umschlagabbildung: Kaiserkrone, Reichenau (?) um 962,
Foto nach der Nachbildung des in Wien befindlichen Originals.
Historisches Museum Frankfurt am Main. Foto: akg-images
Umschlagentwurf: Uwe Göbel, München
Printed in Germany
ISBN 978 3 406 53599 4

www.beck.de

Inhalt

I. Was war das «Heilige Römische Reich Deutscher Nation»?

Am 6. August 1806 legte Kaiser Franz II. die Kaiserkrone nieder und erklärte «das Band, welches Uns bis jetzt an den Staatskörper des deutschen Reichs gebunden hat», für gelöst. Kurz zuvor, am 1. August, hatten sechzehn ehemalige Reichsmitglieder ihren Austritt aus dem Reich erklärt und sich darauf berufen, dass das «Band, welches bisher die verschiedenen Glieder des deutschen Staatskörpers miteinander vereinigen sollte», «in der That schon aufgelöst sey».

Was war das für ein politischer Verband, der sich da selbst auflöste? Auf jeden Fall ein uns heute sehr fremd gewordenes, im Geschichtsbewusstsein der Deutschen kaum noch präsentes Gebilde. Bei näherem Hinsehen hat es zwiespältigen Charakter: einerseits «römisch», andererseits «deutsch», einerseits in den Grundzügen sehr mittelalterlich, andererseits bis heute weiterwirkend, manche meinen sogar: fast modern. Auf jeden Fall ist dieses Reich nicht leicht auf den Begriff zu bringen; es entzieht sich modernen verfassungsrechtlichen Kategorien. Es war kein Staat im heutigen Sinne des Wortes, aber auch kein Staatenbund. Es hatte keine systematische schriftliche Verfassung; es kannte keine Rechtsgleichheit, auch nicht als Ideal, nicht einmal ein Reichsbürgerrecht; es hatte kein geschlossenes Territorium mit festen Grenzen; es besaß keine souveräne höchste Gewalt, verfügte nicht über eine zentrale Exekutive, eine Bürokratie, ein stehendes Heer usw. – mit anderen Worten, ihm fehlte fast alles von dem, was moderne Staatlichkeit kennzeichnet. Alle diese Kategorien führen in die Irre. Wenn man das Alte Reich erfassen will, muss man seine historische Entwicklung beschreiben und darf es nicht rückblickend an Maßstäben messen, die ihm bis zuletzt fremd geblieben sind.

Vielmehr war das Reich ein über die Jahrhunderte des Mittelalters allmählich gewachsenes Gebilde, ein lose integrierter politischer Verbund sehr unterschiedlicher Glieder, die unter einem gemeinsamen Oberhaupt, dem Kaiser, standen, dem sie in einem persönlichen Treueverhältnis verpflichtet waren. Die Kohärenz dieses Verbandes hatte im Laufe des Mittelalters eher ab- als zugenommen. Um die Wende zur Neuzeit, also um 1500, nahm dieser Verbund neue Formen an und bildete festere institutionelle Strukturen aus, die trotz erheblicher Belastungen und innerer Kriege drei Jahrhunderte Bestand hatten, die aber dennoch am Ende nicht verhindern konnten, dass das Reich sich unter dem Einfluss der Französischen Revolution selbst auflöste.

Das ruhmlose Ende dieses Reiches hat seine spätere Wahrnehmung wesentlich geprägt. Im 19. Jahrhundert, dem großen Zeitalter der deutschen Geschichtsschreibung, die preußisch-protestantisch geprägt war und sich ganz in den Dienst der nationalen Identitätsstiftung stellte, erschien allein das Reich des frühen und hohen Mittelalters als die große ruhmreiche Zeit, in der die deutschen Könige als Kaiser mit imperialem Großmachtanspruch geherrscht hatten. Alles, was nach der großen Zeit der Stauferkaiser kam, erschien dagegen als kontinuierlicher Niedergang, als fortschreitender Verfall der (vermeintlichen) ehemaligen kaiserlichen Macht zugunsten der einzelnen Länder, als Verlust der (vermeintlichen) ehemaligen nationalen Einheit. Das galt ganz besonders für die Frühe Neuzeit und insbesondere für die Zeit nach dem Westfälischen Frieden, als das Reich unter die Kontrolle des «Erbfeinds Frankreich» geraten, zum «Spielball der Westmächte» geworden und in lauter «Kleinstaaten» zersplittert worden sei – eine scheinbar lineare Entwicklung, die unter der Einwirkung Napoleons am Ende zum Untergang führte. Schließlich war nicht das Reich, sondern waren seine ehemaligen Glieder, einerseits Brandenburg-Preußen, andererseits Österreich, die Kristallisationskerne, um die sich im 19. Jahrhundert moderne Staaten entwickelten. An ihnen orientierte sich die jeweilige nationale Geschichtsschreibung; ihnen lieferte sie die jeweilige Ursprungs- und Erfolgsgeschichte nach. Während sich aber die Geschichte des Alten Reiches in die österreichische Geschichte relativ gut integrieren ließ – schließlich waren fast alle Kaiser der Neuzeit Habsburger gewesen –, war das in Deutschland nicht der Fall: Hier musste eine national-geschichtliche Linie vom mittelalterlichen Kaisertum über den Aufstieg Brandenburg-Preußens zum neuen preußisch-klein-deutschen Kaiserreich Bismarcks konstruiert werden. Die früh-neuzeitliche Reichsgeschichte fiel dabei fast völlig unter den Tisch – was bis heute in der deutschen Erinnerungskultur nach-wirkt.

Eine Revision der nationalstaatlichen Geringschätzung des Alten Reiches setzte erst seit den 1960er Jahren ein, als man sich mit der Katastrophe des deutschen Machtstaats auch histo-riographisch auseinanderzusetzen begann. Dem Alten Reich der Frühen Neuzeit kam diese Neuorientierung zugute, weil es sich als genuin deutsche, aber unbelastete historische Tradition an-bot und auch für den sich entwickelnden Europa-Gedanken anschlussfähig war. Der Perspektivwechsel wurde zusätzlich da-durch gefördert, dass die alte, protestantisch-preußisch domi-nierte Sicht durch eine eher katholisch, süd- und westdeutsch geprägte Perspektive abgelöst wurde. Allerdings: Das Pendel schwang nun zur anderen Seite aus. Alles das, was ehemals als Schwäche erschienen war, erschien nun als Vorzug. Aus der machtpolitischen Not des Reiches wurde mit einem Mal eine Tugend. Die einen erblickten im Reich mit seinen föderalen Strukturen ein Vorbild für Europa als Ganzes. Andere sahen darin ein von machtstaatlichen Irrwegen unbelastetes nationales Identifikationsobjekt: ein großes friedliches Deutschland in der Mitte Europas, das selbst nicht expansiv war, sondern vielmehr ausgleichend auf die Nachbarstaaten wirkte. Hier bot sich dann auch für die neue Berliner Republik eine Tradition an, auf die man guten Gewissens stolz sein zu können meinte, ohne in einem vereinten Europa Misstrauen auf sich zu ziehen.

Das vorliegende Buch versucht eine solche aktuelle politische Indienstnahme zu vermeiden und die spezifisch vormoderne Fremdartigkeit und Vielschichtigkeit des Alten Reiches deutlich zu machen. Im Gegensatz zu modernen Verhältnissen war das politische System dieses Reiches noch untrennbar verflochten mit sozialen und religiösen Strukturen. Seine Verfassung war kein geschlossenes systematisches Ganzes, sondern ein kompliziertes Geflecht von Altem und Neuem, von symbolisch-rituellen Praktiken, formellen und informellen Spielregeln, fallweise ausgehandelten Übereinkünften, von einigen schriftlich fixierten «Grundgesetzen» (*leges fundamentales*) und vielen traditional legitimierten Gewohnheitsrechten, nicht zuletzt auch von vielfach unvereinbaren, konkurrierenden Rechtsansprüchen. Zu jeder Regel gab es zahllose Ausnahmen, jede abstrakte Definition muss immer zugleich vielfältig eingeschränkt werden. Die Ordnung des Reiches war nicht für alle Beteiligten die gleiche, sondern sie stellte sich aus verschiedenen Perspektiven ganz verschieden dar. Und schließlich veränderte sie sich über die Jahrhunderte. Das macht es so schwierig, das Reich kurz und knapp zu beschreiben. Wenn es hier trotzdem versucht wird, so unter dem Vorbehalt: Die Wirklichkeit war viel komplizierter.

«Heiliges Römisches Reich deutscher Nation» – schon dieser merkwürdige Titel (der vollständig erst zu Beginn des 16. Jahrhunderts auftauchte und auch nie der einzig gebräuchliche, geschweige denn ein offizieller Titel war) verweist auf die Verbindung mittelalterlicher und neuzeitlicher Elemente. Da ist zunächst der Begriff «Reich», *Imperium,* der eine übergeordnete Herrschaftsgewalt bezeichnet, eben die des Kaisers. Im Mittelalter war das Wort auch als Synonym für den Kaiser selbst gebräuchlich. *Imperium* war nicht die Bezeichnung für ein bestimmtes Territorium, d. h. den geographischen Raum, über den Herrschaft ausgeübt wurde. Es handelte sich vielmehr um eine universale, transpersonale Gewalt, die sich losgelöst von einem bestimmten Land oder Volk denken ließ. «Römisch» – das stellte dieses Reich in die Tradition des antiken Kaisertums. Als erster mittelalterlicher Herrscher des Westens hatte sich Karl der Große im Jahr 800 vom Papst zum Kaiser krönen lassen und damit seiner fränkischen Königsherrschaft eine universale Qualität und heilsgeschichtliche Würde verliehen. Daran hatte Otto der Große 962 wieder angeknüpft und das ostfränkische Königtum mit der römischen Kaiserwürde verbunden. Seither erwarben fast alle deutschen Könige auch den römischen Kaisertitel. Die Vorstellung von einer *translatio Imperii,* einer Übertragung der Herrschaft von den Römern auf die Franken bzw. auf die

Deutschen, war eine Fiktion, die auf dem symbolischen Akt der Krönung durch den Papst als Oberhaupt der römischen Kirche beruhte und auf die die mittelalterlichen deutschen Könige einen Anspruch auf Schirmherrschaft über die gesamte Christenheit und Überordnung über alle anderen Königreiche gründeten. Damit traten sie zugleich in die heilsgeschichtliche Rolle des römischen Weltreichs ein, des Reiches also, in dem Christus geboren worden war und das den Rahmen für die Ausbreitung des Evangeliums über den ganzen Erdkreis geboten hatte. Nach der spätantiken Auslegung des biblischen Buches Daniel galt das Römische Reich aber auch als das letzte von vier Weltreichen, an dessen Ende der Antichrist auftreten und das Jüngste Gericht hereinbrechen würde. «Heilig», *sacrum*, hatte das römische Reich in der Antike allerdings noch nicht geheißen. Erst seit der Zeit Kaiser Barbarossas und der Kreuzzüge wurde dieses Adjektiv auf das Reich bezogen, um die Gleichberechtigung der kaiserlichen und der päpstlichen Gewalt, des weltlichen und des geistlichen Schwerts zum Ausdruck zu bringen, die seit dem 11. Jahrhundert von der Papstkirche bestritten wurde.

Welches Verhältnis zwischen Papst und Kaiser sich aus der Übertragung der Kaiserwürde ergab, war im Mittelalter stets umstritten. Den Anspruch auf Überordnung, wie ihn erstmals Gregor VII. erhoben hatte, konnten spätere Päpste nicht aufrechterhalten. In der Frühen Neuzeit wurde die Bindung des Kaisertitels an die Verleihung durch den Papst schließlich endgültig abgeschüttelt. Schon König Maximilian I. nannte sich seit 1508 «Erwählter Kaiser», ohne vom Papst gekrönt worden zu sein bzw. es später zu werden. Karl V. war der letzte, der sich – nachdem er schon 1519 zum König gewählt und in Aachen gekrönt worden war – 1530 vom Papst in Bologna auch noch zum Kaiser krönen ließ. In der Folgezeit beanspruchten die Kaiser diesen Titel stets schon aufgrund ihrer Wahl durch die Kurfürsten (S. 23 ff.), obwohl die Wahl zum «römischen König» und die Krönung zum «römischen Kaiser» auseinander fallen konnten – dann nämlich, wenn die Neuwahl schon zu Lebzeiten des Kaisers erfolgte, wie es in der Frühen Neuzeit zur Sicherung der dynastischen Kontinuität mehrfach vorkam. In diesem Fall nahm der neu gewählte «römische König» den Kaisertitel erst nach dem Tod des Vorgängers an. Krönung und Salbung erfolgten durch einen der rheinischen Erzbischöfe (den Kölner oder, wie in der Frühen Neuzeit die Regel, den Mainzer), und zwar seit 1562 in der Regel in Frankfurt am Main. Dem Papst zeigte man die Wahl nur noch pro forma an.

Die «Heiligkeit» des Reiches, der Anspruch auf sakrale Würde, blieb in der Frühen Neuzeit allerdings durchaus lebendig, auch über die konfessionelle Spaltung hinweg. Allgemein galt jede legitime Herrschaft bis weit ins 18. Jahrhundert hinein als göttlich gestiftet. Die Heiligkeit des Reiches im Besonderen zu betonen diente darüber hinaus dazu, seinen Anspruch auf den höchsten Rang unter allen Monarchien der Welt aufrecht zu erhalten, und nicht zuletzt auch zur Stärkung der Abwehr gegen die heidnischen Türken, die den Südosten vom späten 15. bis ins späte 17. Jahrhundert immer wieder bedrohten. «Das Röm. Reich wird ein Heilges Reich geheisset, weil es von dem Hl. Geist verordnet, bestettiget, und bis auff die ehrne Zeiten erhalten» wird, so schrieb noch im 17. Jahrhundert der Jurist Johannes Limnaeus. Allerdings fiel das Epitheton «heilig» in offiziellen Texten im 18. Jahrhundert zunehmend weg, und man sprach meist nur noch vom «Römisch-deutschen Reich», vom *Imperium Romano-Germanicum,* oder auch schlicht vom «Teutschen Reich».

Damit sind wir bei der Qualifikation des Reiches als «deutsch», «deutscher Nation». Auf das «Heilige Römische Reich» bezogen wurde diese Formel wörtlich zuerst in dem Landfriedensgesetz Kaiser Friedrichs III. von 1486 verwendet. Das Imperium war an sich ein transnationales Gebilde, es umfasste nach mittelalterlicher Auffassung drei Teile: Italien, Gallien (d. h. im wesentlichen Lothringen und Burgund) und Germanien. Seit dem Spätmittelalter und vor allem in der Frühen Neuzeit trat der «deutsche» Charakter – in Abgrenzung von «welsch», d. h. romanisch – aber immer mehr in den Vordergrund. Der Anspruch der Kaiser auf Herrschaft über Italien und Burgund war inzwischen weitgehend verblasst (er konnte allerdings auch wieder aufleben). Vor allem aber: Die wichtigsten

Einheit stiftenden Reichsinstitutionen, die seit 1495 ins Leben gerufen wurden und bis 1806 Bestand hatten, erstreckten sich im Großen und Ganzen nur auf die deutschen Reichsglieder. Es entwickelte sich also zu Beginn der Frühen Neuzeit ein Verständnis vom Reich, das im Wesentlichen nur noch deutschsprachige Gebiete umfasste. Hinzu kam, dass historisch-kritisch arbeitende Juristen wie Hermann Conring oder Samuel Pufendorf im 17. Jahrhundert die Voraussetzungen in Frage stellten, auf denen der Titel beruhte, und die Kontinuität des römischen Kaisertums als Fiktion entlarvten. So bezeichnete Pufendorf es in seiner respektlosen, unter dem Pseudonym Severinus de Monzambano veröffentlichten Schrift über die Reichsverfassung 1667 kurz und bündig als Unsinn, die gegenwärtige deutsche *res publica* noch auf irgendeine Weise als mit dem alten römischen Reich identisch zu begreifen.

Wenn im alten Reichstitel von «deutscher Nation» die Rede war, so ist «Nation» allerdings nicht mit dem modernen Verständnis des Wortes zu verwechseln. Als *nationes* konnten zu dieser Zeit verschiedene regionale Herkunftsgruppen bezeichnet werden; so war zum Beispiel von «sächsischer» oder «fränkischer» Nation die Rede. Doch neben den vielen regionalen und lokalen Identitäten gab es in der Frühen Neuzeit auch Ansätze zu einer übergreifenden gemeindeutschen Identität. Die Entdeckung von Tacitus' «Germania» durch die Humanisten kam dem entgegen, obwohl die Schrift ein sehr zwiespältiges Bild von den Germanen entwarf. Neben der gemeinsamen Sprache und den gemeinsamen Institutionen war es auch die Verteidigung der eigenen «Libertät», d. h. der ständischen Mitwirkungsrechte gegenüber einem Kaiser, der kein Deutscher war, Karl V. nämlich, was zu Beginn der Neuzeit die Entwicklung eines stärkeren politischen Zusammengehörigkeitsgefühls begünstigte.

II. Ein Körper aus Haupt und Gliedern

Wenn die Zeitgenossen selbst das Reich auf den Begriff bringen wollten, sprachen sie zumeist metaphorisch von einem Körper aus Haupt und Gliedern. Der Kaiser war das Oberhaupt, das den Körper überhaupt erst zu einem Ganzen machte. Die gemeinsame Bindung an den Kaiser stellte das älteste verbindende Element der Reichsverfassung dar. Er war oberster Lehnsherr, oberster Richter, oberster Wahrer von Friede und Recht. Allerdings war er alles andere als ein absoluter Herrscher, er stand nicht über den Gesetzen. Gemäß der traditionellen konsensorientierten Rechtsauffassung konnte er nichts an der hergebrachten Ordnung willkürlich ändern, sondern war stets auf Rat und Zustimmung der Betroffenen angewiesen. Weder hatte er das Recht, noch hatte er die Macht, gegen den Konsens der Reichsglieder etwas durchzusetzen. Das war schon im Mittelalter so gewesen. Im Laufe der Frühen Neuzeit wurde nur mehr und mehr festgeschrieben, dass der Kaiser in der Ausübung der Herrschaftsrechte an die Partizipation der Reichsstände gebunden war. Das geschah in später so genannten Reichsgrundgesetzen, *leges fundamentales* – dazu zählte man vor allem die Goldene Bulle (1356), den Augsburger Religionsfrieden (1555), den Westfälischen Frieden (1648), die kaiserlichen Wahlkapitulationen –, die den Charakter vertraglicher Vereinbarungen zwischen Kaiser und Reichsständen hatten. Was der Kaiser ausdrücklich für sich allein behielt, waren so genannte «Reservatrechte», die vor allem darin bestanden, die Standesordnung zu verändern (also Standeserhöhungen vorzunehmen, Uneheliche zu legitimieren, akademische Grade zu verleihen usw.). Der Kaiser war also weniger Herrscher als vielmehr die Spitze der Hierarchie, von der aus sich die ganze Ordnung legitimierte und der für den Bestand dieser Ordnung verantwortlich war.

Dem Kaiser als Oberhaupt wurde die Gesamtheit der Glieder gegenübergestellt; die offizielle Formel lautete «Kaiser und Reich». Bei diesen Gliedern handelte es sich um Herrschaftsträger verschiedener Art: Kurfürsten, Fürsten, Grafen, Prälaten, Ritter, Städte. «Reichsunmittelbar» nennt man alle, die niemanden als den Kaiser als Herrn über sich erkannten. Von der Reichsunmittelbarkeit zu unterscheiden ist die Reichsstandschaft – damit bezeichnet man den etwas engeren Kreis aller derjenigen reichsunmittelbaren Glieder, die Sitz und Stimme auf dem Reichstag innehatten, dem wichtigsten Forum der Reichspolitik. Bis weit ins 16. Jahrhundert hinein war allerdings – vor allem für die Grafen, Ritter und Städte – noch vielfach unentschieden, wer Reichsunmittelbarkeit und Reichsstandschaft erhalten und bewahren würde und wer nicht. Die Reichsglieder waren extrem unterschiedlichen Charakters: Personen und Korporationen, Klöster und städtische Kommunen, Geistliche und Weltliche, Mächtige und Mindermächtige. Das Spektrum reichte von großen Reichsfürsten auf der einen Seite, die über ganze Konglomerate von Territorien nahezu unabhängig herrschten und mit den europäischen Herrscherdynastien verschwägert waren, bis hinunter zu kleinen Reichsrittern auf der anderen Seite, die nur über ein paar Dörfer die Niedergerichtsbarkeit ausübten. Als Erzherzöge von Österreich und Herren über eine ganze Reihe weiterer Reichsterritorien waren auch die Habsburger Glieder des Reiches, und zwar besonders mächtige. Gerade die Heterogenität der Reichsglieder ist überaus kennzeichnend für die Struktur des ganzen Verbandes. Sie hatte nämlich zur Folge, dass die verschiedenen Mitglieder sehr unterschiedlichen Einfluss auf die Reichspolitik nehmen konnten und in sehr unterschiedlichem Maße vom Reichsverband als Ganzem abhängig waren.

Aber das Reich bestand nicht nur aus den unmittelbaren Gliedern. Die meisten Reichsstände übten ihrerseits Herrschaft über Territorien aus, in denen es wiederum andere Herrschaftsträger gab, nämlich ebenfalls Adelsfamilien, Klöster, Stifte und Kommunen, die ihnen ihrerseits als konsensberechtigte Landstände gegenübertraten. Diese «landsässigen» oder «mediaten» Stände standen zu Kaiser und Reich aber eben nur in einem mittelbaren

Verhältnis. Die Landstände verhielten sich zu ihrem Landesherrn ähnlich wie die Reichsstände zum Kaiser. Wie diese dem
Kaiser, so leisteten die Landstände dem Landesherrn ihre Abgaben, wie die Reichsstände auf Reichstagen, so übten die Landstände auf Landtagen Partizipationsrechte aus. Während allerdings die Konsensrechte der Reichsstände im Lauf der Frühen
Neuzeit immer weiter ausgedehnt wurden, konnten die Landstände ihre Konsensrechte in vielen Ländern nicht im alten
Umfang behaupten. Die Landstände übten nun ihrerseits wieder Herrschaft über Hintersassen, Gutsuntertanen usw. aus, die
in einem noch vermittelteren, abgestufteren Verhältnis zum
Reichsganzen standen. Betrachtet man das Ganze aus der umge-
kehrten Perspektive des einfachen Untertanen, des «gemeinen
Mannes» (der seinerseits immerhin noch Herrschaft über Frau,
Kinder und Gesinde ausübte), so sieht man sich einer ganzen
Stufenfolge von Obrigkeiten gegenüber, vom Grundherrn oder
Stadtrat über den Landesherrn bis hinauf zum Kaiser.

Das Reich war also alles andere als ein homogener Unter-
tanenverband. Anders als bei moderner Staatlichkeit, wo alle
Bürger ein einheitliches Staatsbürgerrecht genießen, alle hoheit-
liche Gewalt beim Staat konzentriert ist und allein von seinen
Organen ausgeübt wird, wurde im Reich auf verschiedenen
Ebenen autonome Herrschaft ausgeübt, und ein Glied hatte immer andere «Rechte und Freiheiten» als das andere. Über diese
heterogene Vielfalt von Reichsgliedern und deren Untertanen
übte der Kaiser keine einheitliche Gewalt aus. Das Reich besaß
deshalb auch kein festes Territorium mit eindeutigen Gebiets-
grenzen, wie es moderne Karten suggerieren. Im Laufe des Spätmittelalters und der Frühen Neuzeit vollzog sich allerdings ein
Prozess zunehmender Territorialisierung; das heißt, Herrschaft
verwandelte sich von einer Vielzahl *verschiedener* Herrschaftsrechte über *Personen* zu einer *einheitlichen* Herrschaft über ein
bestimmtes *Gebiet* (samt allen darauf lebenden Personen). Diese
territoriale Herrschaft wurde aber vor allem von einzelnen
Reichsfürsten als Landesherren in ihren jeweiligen Ländern ausgebildet und nicht vom Reich in seiner Gesamtheit. Das Reich
war bis zu seinem Ende kein Territorialstaat, sondern ein Perso-

nenverband, ein komplexes hierarchisches System von Personen und Korporationen, an deren Spitze der Kaiser stand und dem Ganzen symbolische Einheit und Legitimität verlieh.

Die Struktur des Reiches war ganz wesentlich dadurch geprägt, dass die großen Reichsfürsten eine traditionell starke eigene Herrschaftsposition besaßen und diese im Laufe der Neuzeit weiter zur Landeshoheit auszubauen vermochten, und zwar teilweise auf Kosten der kaiserlichen Gewalt. Die Ursachen für diese starke Stellung (die vor dem 15. Jahrhundert allerdings kaum als Problem empfunden wurde) liegen im Mittelalter. Während es in anderen europäischen Monarchien – besonders in Frankreich – nach und nach zu einer Stärkung der königlichen Zentralgewalt kam, ging die Entwicklung des Reiches in eine andere Richtung, und zwar aus mehreren Gründen. Erstens: Das Reich war eine Wahl- und keine Erbmonarchie. Das Prinzip der freien Wahl hatte sich gegen das dynastische Geblütsprinzip nach dem Tod Heinrichs VI. (1197) endgültig durchgesetzt. Dadurch war der König bzw. Kaiser auf die Wahlstimmen eines sich allmählich herausbildenden Kreises von Königswählern, den Kurfürsten, angewiesen und musste ihnen Zugeständnisse machen. Zweitens wurden im mittelalterlichen Reich auf Dauer keine zentralen Verwaltungs- und Exekutivinstitutionen zur unmittelbaren Verfügung des Kaisers aufgebaut (was die Salier und Staufer mit ihrer Reichsministerialität noch versucht hatten). Das Lehnswesen wurde nicht zur Stärkung der Königsgewalt eingesetzt wie etwa in Frankreich; heimgefallene Lehen wurden nicht für den Ausbau der Zentralgewalt genutzt, sondern wieder an Vasallen ausgegeben. Das gleiche geschah mit dem Reichsgut und den finanziell nutzbaren Hoheitsrechten, den Regalien, wie Münz- und Zollrecht, Berg- und Forstregal usw. Dem Kaiser blieben daher keine Mittel mehr, um eine «administrative Infrastruktur» (Wolfgang Reinhard) im Reich aufzubauen; er konnte sich ausschließlich auf seine eigene Landesherrschaft stützen und war im Übrigen stets auf die Reichsstände angewiesen, was die Aufbringung von Finanzmitteln und die Durchführung von Entscheidungen im Reich anging. Drittens ist die Konkurrenz der kirchlichen Gewalt zu

nennen. Seit dem <u>Investiturstreit</u> entzog sich die Kirche der herr-
schaftlichen Instrumentalisierung durch den Kaiser. Güter und
Herrschaftsrechte, die die Herrscher der Kirche, den Bischöfen
und Klöstern, im Laufe des Früh- und Hochmittelalters verliehen hatten, dienten diesen zum Aufbau eigener Herrschaftsterri-
torien. Dadurch kam es zu dem in Europa (abgesehen vom
Kirchenstaat des Papstes) singulären Phänomen, dass Inhaber
hoher geistlicher Würden, wie Erzbischöfe, Bischöfe, Äbte und
Äbtissinnen, zugleich in ihren Hochstiften als Reichsfürsten
weltliche Landeshoheit innehaben konnten.

Schließlich machte schon die schiere Größe des Reiches angesichts der eingeschränkten vormodernen Kommunikations-
möglichkeiten eine gleichmäßige herrschaftliche Durchdringung
äußerst schwer. Bis ins frühe 16. Jahrhundert gab es keine Post;
das Reich zu durchqueren dauerte für einen Einzelnen rund
30 Tage. Auch das erklärt die sehr unterschiedlich enge Bindung
der verschiedenen Fürsten an den Kaiser.

Die Bindungen, die in der Frühen Neuzeit die einzelnen
Reichsglieder unter dem Kaiser mehr oder weniger fest zu einem
Ganzen zusammenschlossen, waren unterschiedlicher Art, älteren und jüngeren Ursprungs. Zunächst war das Reich immer
noch ein Lehnsverband mit dem Kaiser als Lehnsherrn an der
Spitze. Das Lehnswesen war die Grundlage der mittelalterlichen
Herrschafts- und Eigentumsordnung. Es beruhte darauf, dass
der Lehnsherr Land, Herrschaftsrechte, Ämter, Pfründen, Güter
und Würden aller Art an den Vasallen ausgab und diesen dabei
durch eine persönliche Treueverpflichtung an sich band. Der
Lehnsmann verpflichtete sich in umfassender Weise, das Wohl
des Lehnsherrn zu befördern und Schaden von ihm abzuwenden;
er hatte ihm jederzeit «Rat und Hilfe» zu leisten. Solche Lehnsbe-
ziehungen bestanden auf allen Ebenen der Gesellschaft, vom
Kaiser bzw. König bis hinunter zum einfachen Freien. Diese
Lehnsordnung bestand im Prinzip die ganze Frühe Neuzeit hindurch fort. Das Reich als Lehnsverband beruhte also nicht zuletzt auf persönlichen Treueverhältnissen. Alle Reichsfürsten
(aber auch viele andere Personen) waren unmittelbare Vasallen
des Kaisers. Bei jedem Tod eines Kaisers oder eines seiner Vasal-

len musste dieses Treueverhältnis rituell erneuert werden. Das geschah in einem Akt der feierlichen Investitur, bei dem der Kaiser den Vasallen mit seinen Gütern und Herrschaftsrechten belehnte und der Vasall dagegen Treue zu Kaiser und Reich schwor. Im Laufe der Frühen Neuzeit unterzogen sich allerdings die Fürsten nicht mehr persönlich diesem Ritual, sondern schickten nur noch ihre Gesandten an den Kaiserhof. Dieses Lehnsband bestand auch nach wie vor gegenüber vielen italienischen Fürsten, ja es wurde nach dem Westfälischen Frieden sogar wieder intensiviert. In diesem Sinne gehörten zahlreiche italienische Fürstentümer auch in der Neuzeit noch immer zum Reich («Reichsitalien»). Allerdings waren längst nicht alle Beziehungen zwischen Kaiser und Reichsgliedern lehnsrechtlicher Natur; so galten vor allem die Reichsstädte, die zum Königsgut gehörten, als Untertanen und nicht als Vasallen des Kaisers.

Das Reich war keineswegs nur Lehnsverband, es war darüber hinaus ein Verband aller derjenigen, die an bestimmten gemeinsamen, seit dem ausgehenden 15. Jahrhundert herausgebildeten Institutionen Anteil hatten: an den Reichstagen als zentralen politischen Beratungsinstanzen, den höchsten Reichsgerichten und den Reichskreisen als regionalen Exekutivorganisationen. Mitglied des Reiches war, wer auf dem Reichstag Sitz und Stimme hatte und über gemeinsame Angelegenheiten mit beriet und beschloss, wer dem Kaiser Reichssteuern zahlte, wer die höchste Reichsgerichtsbarkeit in Anspruch nahm und wer zu einem der Reichskreise gehörte. Mit anderen Worten: Das Reich war ein Rechtsverband mit gemeinsamen höchsten Rechtsprechungsinstanzen und gemeinsamer Gesetzgebung; es war ein Friedensverband, dessen Glieder sich gegenseitig beizustehen hatten und nicht gegeneinander Krieg führen durften (es gleichwohl aber öfter taten); es war ein Leistungsverband mit gemeinsamen Steuern und Diensten zu gemeinsam finanzierten und organisierten Aufgaben. Allerdings: Nicht alle hatten gleichermaßen an allen diesen Institutionen Anteil; die Teilhabe war vielmehr eine Frage der konkreten Praxis, in Einzelfällen strittig und zudem veränderlich. Vor allem an den Rändern des Reiches gab es Glieder mit umstrittener oder schwach ausgeprägter Zugehörigkeit, darunter auch solche, die im Laufe der Zeit ganz verloren gingen. Das Reich franste an den Rändern sozusagen aus. Es bildete sich aber zu Beginn der Neuzeit ein Kreis von Gliedern heraus, die im Kern dazugehörten und an allen gemeinsamen Institutionen Anteil hatten, auch wenn sie sich deren Entscheidungen nicht immer unterwarfen. Unter diesen allerdings gab es wiederum solche, die von Kaiser und Reich besonders abhängig waren, vor allem im «kaisernahen» herrschaftlich zersplitterten Raum in Franken, Schwaben und am Mittelrhein, wo das ehemalige mittelalterliche Königsgut gelegen hatte, und andererseits solche, die sich Kaiser und Reich kaum verbunden fühlten und von denen einige sich im Laufe der Zeit noch weiter davon entfernten, so im «kaiserfernen» Norden und Nordosten.

Die Frage, wer zum Reich gehörte und wer nicht, lässt sich also in einzelnen Fällen nicht eindeutig beantworten. Daher ist auch die Frage nach den «Reichsgrenzen» falsch gestellt. Manche Glieder gehörten in der einen Hinsicht dazu, in anderer Hinsicht aber nicht – je nachdem, welches Kriterium der Zugehörigkeit man anlegt. So standen wie erwähnt viele italienische Fürstentümer, Grafschaften und Stadtrepubliken, wie Toskana, Mantua, Modena, Parma, Genua, Lucca etc., in einer Lehnsbeziehung zum Kaiser, waren aber sonst an keiner der Reichsinstitutionen beteiligt, abgesehen vom Herzogtum Savoyen, das in den oberrheinischen Reichskreis, eine regionale Exekutionseinheit, einbezogen war und einen Sitz auf dem Reichstag hatte. Die Schweizer Eidgenossenschaft entzog sich seit 1499, nach dem Krieg gegen die Habsburger als Landesherren, ebenfalls den neu eingerichteten Reichsinstitutionen, wurde aber de jure erst 1648 vertraglich aus dem Reichsverband entlassen und als selbstständiges Völkerrechtssubjekt allgemein anerkannt. Allerdings war auch die Eidgenossenschaft in sich alles andere als ein homogenes Ganzes. Daher blieben einzelne Glieder dieses Bundes weiterhin Vasallen des Kaisers und konnten bis zum Ende des Reiches noch durchaus ihre alte Zugehörigkeit zum Reich symbolisch herausstellen, wenn es ihnen politisch vorteilhaft erschien. Auch die Niederlande waren ein vielschichtiges Länderkonglomerat, dessen Bestandteile in unterschiedlicher Beziehung zum Kaiser und zum Reich standen, mehrheitlich aber aus Reichslehen bestanden. Seit der Wende zur Neuzeit waren diese Länder an die Habsburger als Erben der Herzöge von Burgund gefallen und gegen die Ansprüche des französischen Königs behauptet worden. Im Burgundischen Vertrag von 1548 wurden sie von der Zuständigkeit der zentralen Reichsinstitutionen weitgehend befreit; 1555 fielen sie an die spanische Linie des Hauses Habsburg. Als sich im Zusammenhang mit der konfessionellen Spaltung dreizehn nördliche Provinzen vereinigten und einen achtzigjährigen Unabhängigkeitskrieg gegen ihre katholischen Landesherren führten, mischte sich das Reich bereits nicht mehr ein. 1648 wurde die Republik der Vereinigten Niederlande definitiv als souveräne Republik anerkannt. Die südlichen Provinzen (ungefähr das heutige Belgien) blieben unter habsburgischer Herrschaft und fielen 1713 an die österreichische Linie zurück, gehörten aber nach wie vor nicht zum Reich im engeren Sinne, weil sie nicht an Reichstag, Reichssteuern und Reichsgerichten partizipierten. Im Westen gab es eine Reihe von Territorien, die zwar Reichslehen waren und Reichsstandschaft innehatten, die aber der französischen Expansionspolitik im Laufe der Neuzeit zum Opfer fielen, wie die Freigrafschaft Burgund, die Bistümer Metz, Toul und Verdun oder die Reichsstadt Straßburg. Das Herzogtum Lothringen schwankte lange zwischen der Zugehörigkeit zu Frankreich, dem Reich und einem unabhängigen Status. Aufgrund einzelner kleinerer Herrschaftstitel hatte der Herzog von Lothringen Sitz und Stimme in verschiedenen Reichsinstitutionen, auch nachdem sein Herzogtum im 18. Jahrhundert längst de facto und de iure an Frankreich gefallen war. Im Norden gab es Territorien, die zum Reich gehörten, obwohl sie der Landesherrschaft auswärtiger Könige unterworfen waren. So war der König von Dänemark zugleich Herzog von Holstein, das eindeutig zum Reich gehörte; das damit verbundene Schleswig als Lehen der dänischen Krone hingegen nicht. Vorpommern wurde im Westfälischen Frieden der Krone Schweden zugesprochen, ohne seine Zugehörigkeit zum Reich zu verlieren, so dass der schwedische König fortan ebenso wie der dänische als Reichsfürst über Sitz und Stimme im Reichstag verfügte. Das Herzogtum Preußen, bis zu Beginn des 16. Jahrhunderts unter der Herrschaft des Deutschen Ordens und zwischen der Bindung an Polen und an das Reich schwankend, wurde während der Reformation säkularisiert und zum weltlichen Herzogtum unter polnischer Lehnshoheit, gehörte also nicht mehr zum Reich. 1618 wurde der Kurfürst von Brandenburg in Personalunion Herzog in Preußen; 1657 schüttelte er die polnische Lehnshoheit ab und war seither ein souveräner Fürst über dieses Territorium, was die Voraussetzung dafür bot, dass er sich 1701 zum «König in Preußen» erhöhen konnte. Schließlich das Königreich Böhmen: Der König von Böhmen war seit dem Mittelalter Lehnsmann des Reiches und wurde im 14. Jahrhundert in den Kreis der Kurfürsten einbezogen, die den Kaiser wählten. Allerdings galt nur die Kurwürde, nicht aber das Königreich selbst, zu dem als Nebenländer auch Mähren, Schlesien und die Lausitz gehörten, als Lehen des Reiches. Der König galt als souveräner Herr und nicht dem Reich unterworfen; d. h. die böhmischen Länder wurden nicht in die um 1500 etablierten Reichsinstitutionen einbezogen. Seit 1526 hatte die österreichische Linie des Hauses Habsburg die böhmische Krone inne, so dass der böhmische König die meiste Zeit mit dem Kaiser identisch war. Zu Beginn des 18. Jahrhunderts führte das dazu, dass Böhmen doch noch in die Reichsgremien einbezogen wurde.

Soweit die bedeutendsten Grenzfälle. Der Kern des Reichsverbandes im engeren Sinne war der Reichstag, der aus dem älteren Hoftag des Königs hervorgegangen war und im ausgehenden Mittelalter eine feste institutionelle Form ausgebildet hatte (S. 45 ff.). Wer dort – einzeln oder kollektiv – in der Frühen Neuzeit Sitz und Stimme hatte, war «Reichsstand» und gehörte unzweifelhaft zum Reich. Die Reichsglieder lassen sich am besten nach ihren Partizipationsmöglichkeiten an diesem Reichstag, nach ihrer Rolle im Reichstagsverfahren, unterscheiden und in drei große Gruppen unterteilen, entsprechend den drei «Kurien», d. h. den getrennten ständischen Beschlusskollegien dieser Versammlung. Danach gab es erstens Kurfürsten, zwei-

tens Fürsten, Grafen, Herren und Prälaten und drittens Städte.
Nur die Reichsritter, die ebenfalls unmittelbare Reichsglieder
waren, gehörten nicht zum Reichstag und hatten einen Sonder-
status. Auf diese großen ständischen Gruppen soll etwas näher
eingegangen werden.

Die **Kurfürsten** galten als die «Säulen des Reiches». Sie allein
wählten den Kaiser bzw. römischen König und bildeten schon
im Spätmittelalter eine Korporation, d. h. eine handlungsfähige
Einheit mit gemeinsamen Rechten und Privilegien. Sie galten als
Repräsentanten des ganzen Reiches in dem Sinne, dass sie *pars
pro toto* für das Ganze verbindlich handeln konnten, aber auch
in dem Sinne, dass ihr gemeinsames, feierliches öffentliches Auftreten zusammen mit dem Kaiser die Majestät des Reiches sichtbar zur Erscheinung brachte. Deshalb sind auf Abbildungen
«des Reiches» sehr oft allein Kaiser und Kurfürsten dargestellt.

Nachdem es im Mittelalter ursprünglich einmal die Vorstellung von einem Königswahlrecht des ganzen *populus*, d. h. aller
Großen, gegeben hatte, bildete sich seit dem Hochmittelalter
eine Gruppe heraus, die dieses Recht nach und nach für sich
monopolisierte. Diese Kurfürsten (von «Kur» für Wahl) waren
die drei rheinischen Erzbischöfe von Mainz, Köln und Trier,
ferner der König von Böhmen, der Pfalzgraf bei Rhein, der Herzog von Sachsen und der Markgraf von Brandenburg. Warum es
genau diese Fürsten und keine anderen waren, die das Königswahlrecht monopolisieren konnten, ist in der mediävistischen
Forschung bis heute nicht restlos geklärt. Nachträglich begründet und legitimiert wurde die Herausgehobenheit der vier letzt-
genannten aus dem Kreis der übrigen weltlichen Reichsfürsten
seit dem 13. Jahrhundert mit der so genannten Erzämtertheorie:
Die weltlichen Kurfürsten versahen am Königshof bei feierlichen Anlässen die Ämter des Mundschenks, Truchsessen, Mar-
schalls und Kämmerers. Das war indes wohl nicht die Ursache,
sondern eher die Folge ihrer privilegierten Rolle bei der Wahl.
Diese Wählergruppe wurde in der Goldenen Bulle Kaiser Karls
IV. von 1356 als feste Korporation mit bestimmten gemeinsamen Privilegien endgültig festgeschrieben und bildete seither
das institutionelle Zentrum der Reichsordnung und einen Kri-

Der Kaiser im Kreis der Kurfürsten, Holzschnitt aus dem Jahr 1531

stallisationskern des späteren Reichstags. Die Goldene Bulle, die seit dem 16. Jahrhundert als Reichsgrundgesetz galt, stellte sicher, dass es bei der Königswahl immer zu einer eindeutigen und sicheren Entscheidung kam und Doppelwahlen wie zuvor nicht mehr möglich waren. Dazu dienten Bestimmungen, die garantieren sollten, dass sich die Zusammensetzung des Kollegiums nicht änderte, nämlich die Thronfolge der weltlichen Kurfürsten nach Erstgeburtsrecht und die Unteilbarkeit der kurfürstlichen Territorien. Ferner wurde dafür gesorgt, dass es zwischen den Kurfürsten nicht zu Rangkonflikten kam, die in der Vormoderne ein klassisches Konfliktpotential darstellten. Der Fixierung ihres genauen Rangs im Gehen, Stehen und Sitzen bei allen rituellen Anlässen wurde daher große Sorgfalt gewidmet. Ferner wurde neben anderen Privilegien festgeschrieben, dass die Kurfürsten sich allein förmlich versammeln durften und – das wohl wichtigste – dass unter ihnen grundsätzlich das Mehrheitsprinzip galt. Dieses Prinzip war in den vormodernen Epochen noch eher unüblich. Denn zum einen setzt es die Zählbarkeit und damit die Gleichheit der Stimmen voraus, während in der Gesellschaft sonst das Prinzip hierarchischer Ungleichheit vorherrschte und es weniger auf die Zahl als auf das Gewicht der Stimmen ankam. Zum anderen setzte das Mehrheitsprinzip die Fiktion, dass der Wille der Mehrheit als Wille der Gesamtheit gelte, an die Stelle der sonst stets angestrebten Einmütigkeit, *unanimitas*, die eigentlich für die Legitimität einer Entscheidung wesentlich war.

Trotz der Vorkehrungen der Goldenen Bulle wurde die Zusammensetzung des Kurfürstenkollegs im Lauf der Frühen Neuzeit mehrmals verändert. Im Dreißigjährigen Krieg wurde der Kurfürst von der Pfalz geächtet, und der Herzog von Bayern, Maximilian I., erhielt als Belohnung für seine Dienste vom Kaiser dessen Kurwürde 1623 übertragen. Als im Westfälischen Frieden die Kurwürde des Pfälzers wiederhergestellt wurde, behielt der Bayer trotzdem seine Kur; es gab jetzt also acht Kurstimmen. 1777 fielen die beiden wittelsbachischen Linien wieder zusammen, so dass sich die zwei Kurstimmen Pfalz und Bayern wieder auf eine reduzierten. Der Herzog von Braunschweig-Lüneburg bemühte sich ebenfalls um die Kurwürde und erhielt sie 1692 für eine Reihe politischer Zugeständnisse vom Kaiser übertragen, was vom Reichstag aber erst 1708 anerkannt wurde. Ganz kurz vor Ende des Reiches 1803 kam es noch zu einer kurzfristigen Umordnung des Kurkollegs, als die Kurfürstentümer Mainz, Köln und Trier aufgelöst wurden (nur die Mainzer Kurstimme als solche sollte erhalten bleiben), Württemberg, Hessen-Kassel, Baden und Salzburg hingegen neue Kurwürden erhielten, mit denen sie aber nicht mehr viel anfangen konnten. Der böhmische König spielte unter den Kurfürsten eine besondere Rolle. Fast die ganze Frühe Neuzeit hindurch waren böhmische Königswürde und Kaiserwürde in derselben Hand, nämlich der der österreichischen Habsburger. Von den neuen Reichsinstitutionen seit Beginn des 16. Jahrhunderts war der böhmische König wie erwähnt ausgenommen worden, d. h. er leistete dem Reich keine Abgaben und führte auch keine Stimme auf Reichstagen und in anderen Reichsgremien. Erst 1708 setzte der Kaiser durch, dass er selber als König von Böhmen in allen Gremien zugelassen wurde und seine Stimme führen konnte.

Die Bedeutung der kurfürstlichen Wahl blieb durch die gesamte Frühe Neuzeit hindurch erhalten – ungeachtet der Tatsache, dass seit 1438 fast ausschließlich Habsburger gewählt wurden. Die Ausnahmen waren Karl VII. aus dem Haus Wittelsbach 1742 (S. 102 f.) und streng genommen auch Franz Stephan von Lothringen 1745, der gewählt wurde, weil er der Ehemann der Habsburgerin Maria Theresia, der Tochter Kaisers Karls VI. war (S. 103). In der Frühen Neuzeit wurde oft schon zu Lebzeiten des regierenden Kaisers (*vivente Imperatore*) dessen Sohn (bzw. einmal der Bruder) zum Nachfolger gewählt. Auf diese Weise gelang es meist, die Unsicherheiten einer Thronvakanz zu vermeiden und die dynastische Kontinuität trotz des Wahlprinzips zu sichern.

Die Wahl war aber dennoch von größter Bedeutung, weil die Kurfürsten dem zu Wählenden bestimmte Bedingungen diktieren konnten, die seit der Wahl Karls V. 1519 in einer «Wahlkapitulation» niedergelegt wurden. Diese Wahlkapitulationen bildeten eine der wesentlichen Grundlagen des Reichsrechts, sie galten als Reichsgrundgesetze, was nicht verhinderte, dass die Kaiser nicht selten dagegen verstießen. Es handelte sich dabei um Herrschaftsverträge zwischen Monarch und Ständen, die wechselseitige Verpflichtungen festschrieben, wie sie überhaupt für die vormodernen ständisch beschränkten Monarchien typisch waren. Die Wahlkapitulationen enthielten unsystematische Aufzählungen aller zu garantierenden Rechtsbestände und wurden immer weiter kumulativ fortgeschrieben, nie systematisch geordnet. Darin ließen sich die Kurfürsten garantieren, dass alle ihre (und der anderen Reichsstände) Rechte, Freiheiten und Privilegien nicht angetastet wurden und dass sie in allen wichtigen Reichsangelegenheiten um Zustimmung gebeten werden mussten. Um die Mitwirkung an diesen Wahlkapitulationen und ihre Festlegung über die einzelnen Thronwechsel hinaus als *capitulatio perpetua* (was sie zu einer Art schriftlicher Reichsverfassung gemacht hätte) bemühten sich die anderen Reichsstände bis zum Ende des Reiches vergebens.

Einzelne Kurfürsten erfüllten eine Reihe weiterer prominenter Funktionen in der Reichsordnung. Dem Kurfürsten von der Pfalz kam im fränkisch-rheinischen, westlichen Teil des Reiches, dem Kurfürsten von Sachsen im östlichen Teil das so genannte Reichsvikariat zu, d. h. das Recht zur Vertretung des Königs bei Thronvakanz, das mit erheblichen Einkünften verbunden war. Die drei geistlichen Kurfürsten hatten die Ämter von Erzkanzlern für die drei Teile des Reiches inne: der Mainzer für Deutschland, der Kölner für Italien, der Trierer für Gallien. Da das Reich in der Frühen Neuzeit zunehmend zu einem «deutschen» geworden war und alle wichtigen politischen Verfahren in seinem Gebiet stattfanden, kam dem Mainzer eine zentrale Rolle als Reichserzkanzler zu. Er war das ranghöchste Glied des Reiches und hatte überall da, wo es dem Kaiser als selbstständige Organisation gegenübertrat, den Vorsitz; vor allem leitete er die Königswahlen und organisierte die Reichstage. Überdies krönte und salbte er den König/Kaiser in Frankfurt am Main (ein Recht, das er in der Frühen Neuzeit gegen den Erzbischof von Köln hatte durchsetzen können). Die Reichshofkanzlei, d. h. das

Zentrum des schriftlich geführten Rechtsverkehrs im Reich, war streng genommen eine Institution des Mainzer Reichserzkanzlers, aber bis ins 17. Jahrhundert zeitweise auch für die habsburgischen Länder zuständig und am Kaiserhof angesiedelt, wo sie seit 1519 durch einen Reichsvizekanzler geleitet wurde. Inwieweit die Reichshofkanzlei tatsächlich Instrument des Reichserzkanzlers oder vielmehr des Kaisers war, hing nicht zuletzt von der Person und dem politischen Gewicht des jeweiligen Amtsinhabers ab. So waren einzelne Mainzer Kurfürsten, vor allem Berthold von Henneberg im ausgehenden 15. Jahrhundert oder Johann Philipp von Schönborn im 17. Jahrhundert, bedeutende Gegenspieler des Kaisers und unabhängige Gestalter der Reichspolitik.

Insgesamt war das Kurfürstenkolleg von zentraler verfassungsrechtlicher und politischer Bedeutung, vor allem dann, wenn die Kaiser sich wenig um das Reich kümmerten, wie im 15. Jahrhundert, oder wenn die anderen Reichsorgane versagten, so etwa im Vorfeld und während des Dreißigjährigen Kriegs. Erst nach dem Westfälischen Frieden trat ihr politischer Einfluss als Gesamtkorporation zurück – vor allem deshalb, weil einzelne von ihnen über alle anderen an politischer Macht hinauswuchsen und zu Königen über Länder außerhalb des Reiches aufstiegen: der Kurfürst von Brandenburg wurde 1701 König in Preußen, der Kurfürst von Sachsen 1697 König von Polen, der Kurfürst von Braunschweig 1714 König von England.

Auf Reichstagen bildeten die Kurfürsten die erste und einflussreichste der drei Kollegien; die zweite bildeten die **Fürsten, Prälaten, Grafen und Herren**. Während aber das Kurfürstenkolleg seit der Goldenen Bulle eine geschlossene, relativ homogene Korporation mit fester Mitgliedschaft war, galt das für die zweite Kurie nicht. Sie bestand aus einer nicht genau festgelegten und im Lauf der Zeit höchst schwankenden Zahl unterschiedlicher Glieder von ganz verschiedenem ständischen Rang und politischem Gewicht.

Zunächst waren das die geistlichen und weltlichen Fürsten.

Schon im Hochmittelalter hatten sich die Reichsfürsten (*principes*) als ranghöchste adelige Gruppe weitgehend nach unten abgeschlossen; nur wenige, wie etwa Württemberg, stiegen danach noch in den Fürstenstand auf. Sie waren im Besitz der wichtigsten Hoheitsrechte, so vor allem der Hochgerichtsbarkeit, des Zoll- und Münzrechts, der Kirchenvogtei usw., also all dessen, was Kern der Landesherrschaft (*dominium terrae*) und Voraussetzung für die geschlossene Herrschaft über ein Territorium war. Reichsfürsten hatten ihre Lehen unmittelbar vom König und waren ihrerseits Lehnsherren des Adels in ihrem Land und darüber hinaus. Auf Reichstagen hatte jeder einzelne von ihnen persönlich Sitz und Stimme («Virilstimmen»), nicht zuletzt Folge des alten Rechts, auf Hoftagen vom Lehnsherrn um Rat und Hilfe gebeten zu werden. An politischer Macht, Größe und Zahl der Territorien und Verbundenheit gegenüber dem Reich unterschieden sich die Reichsfürsten allerdings erheblich.

Neben den weltlichen Reichsfürsten, die die Herrschaft über ihre Territorien – ungeachtet der Lehnsbindung – erblich besaßen, gab es geistliche Reichsfürsten, die Inhaber geistlicher Ämter (Erzbischöfe, Bischöfe, Äbte, Äbtissinnen) und zugleich Herren über ein Reichsterritorium (Hochstift) waren. Das bedeutet, dass die Organisation der Kirche im Reich auf das engste mit dessen politischer und sozialer Struktur verbunden war. Die geistlichen Amtsträger wurden als solche nach kanonischem Recht von dem Kapitel ihres Stifts oder Klosters gewählt und vom Papst bestätigt; als Inhaber eines Reichsterritoriums bekamen sie hingegen vom Kaiser die Temporalien, d. h. die weltlichen Herrschaftsrechte verliehen. In der Frühen Neuzeit wurden die geistlichen Reichsfürstentümer teils aus dem gräflichen und ritterschaftlichen Adel der Region (wie z. B. den Schönborn), teils aber auch aus den großen Fürstendynastien besetzt. Niederadelige konnten durch die Wahl zum Erzbischof oder Bischof zu Kur- und Reichsfürsten aufsteigen, obwohl sie aufgrund ihrer Herkunft nicht zum Fürstenstand gehörten. Die Besetzung der Reichsbistümer war seit der konfessionellen Spaltung eine politisch höchst brisante Sache, die kaum allein den Stiftskapiteln überlassen werden konnte. Vielmehr nahmen die Kaiser, aber auch andere Reichsfürsten und sogar auswärtige Mächte über hohe Wahlgeschenke und politischen Druck auf die Kapitel Einfluss, um ihnen genehme Kandidaten durchzusetzen. Der Papst erteilte aus politischer Opportunität meist großzügig Dispens von den kirchenrechtlichen Vorschriften, wonach nur volljährige, geweihte Priester gewählt werden durften und Ämterhäufung verboten war. Die hohen Ämter in der Reichskirche, sofern sie nicht der Reformation zum Opfer fielen, waren seit dem ausgehenden 16. Jahrhundert eine wesentliche politische Stütze des Kaisertums und wurden zum Grundpfeiler des reichsweiten habsburgischen Klientelsystems.

Die Zahl der weltlichen und geistlichen Fürsten mit persönlicher Stimme auf dem Reichstag schwankte im Laufe der Frühen Neuzeit sehr. Die Wormser Matrikel von 1521, eine allerdings fehlerhafte und umstrittene Liste zur Erfassung der steuerbaren Reichsglieder, nennt vier Erzbischöfe, 46 Bischöfe und 24 Fürsten. Infolge der Reformation wurden viele Bistümer säkularisiert bzw. von den benachbarten weltlichen Landesherren mediatisiert, was die Zahl der geistlichen Reichsfürsten geradezu halbierte. Die Zahl der weltlichen Reichsfürsten hingegen erhöhte sich im Laufe der Frühen Neuzeit auf rund 60. Das lag nicht nur daran, dass viele geistliche zu weltlichen Fürstentümern wurden, sondern auch an Erhebungen in den Reichsfürstenstand, durch die der Kaiser seine Klientel auf dem Reichstag zu vergrößern suchte. Die Zulassung der neu in den Fürstenstand erhobenen Familien zum Reichstag wurde allerdings im 17. Jahrhundert an die Zustimmung der Kur- und Fürsten gebunden, so dass nur noch ganz wenige Reichsfürsten hinzukamen. Im 16. Jahrhundert vermehrten sich die Reichstagssitze auch noch dadurch, dass die Länder geteilt wurden und die Familien sich in verschiedene Linien aufspalteten. Dem wurde auf dem Reichstag von 1582 ein Riegel vorgeschoben, indem man die Stimme auf dem Reichstag an das Territorium band, so dass bei Landesteilungen das Stimmrecht von allen Linien gemeinsam ausgeübt werden musste. Manche Reichsfürstentümer schieden allerdings in der Frühen Neuzeit auch aus dem Reichsverband definitv aus, so etwa die Hochstifte Metz, Toul und Verdun, die im Westfälischen Frieden an Frankreich abgetreten wurden.

Neben den Fürsten gab es auch mindermächtige reichsständische Gruppen, deren Mitglieder nicht einzeln auf dem Reichstag Sitz und Stimme führten, sondern die so genannte Bänke bildeten und kollektiv (*curiatim*) ein gemeinsames Stimmrecht ausübten. Sie waren nicht nur politisch von wesentlich geringerem Gewicht und sozial von geringerem Rang, sie hatten meist auch gar nicht die nötigen Mittel, um einzeln den Reichstag zu beschicken. Dabei handelte es sich auf der geistlichen Seite um die Reichsprälaten, auf der weltlichen Seite um die Reichsgrafen und -freiherren. Gerade diese politisch mindermächtige, zahlenmäßig aber stärkste Gruppe prägte das Erscheinungsbild des Reichsverbands in hohem Maße.

Ebenso wie die Bischöfe hatten auch die Vorsteher der reichsunmittelbaren Klöster und Kollegiatstifte in ihren meist sehr kleinen Territorien Landesobrigkeit inne. Auch Frauen konnten als Reichsäbtissinnen Herrschaft ausüben. Diese Reichsprälaten waren auf dem Reichstag zu zwei «Bänken», der schwäbischen und rheinischen Prälatenbank, zusammengeschlossen. Die schon erwähnte Wormser Matrikel von 1521 zählte 83 Prälaten, davon 14 Frauen. Aus den gleichen Gründen wie bei den geistlichen Reichsfürsten verringerte sich ihre Zahl im Lauf der Frühen Neuzeit um rund zwei Drittel. Die Territorien der Prälaten konzentrierten sich vor allem auf den Südwesten des Reiches; es waren mindermächtige Reichsstände, auf die sich der Kaiser besonders stützen konnte. Sozialgeschichtlich war die Reichskirche eine «Adelskirche»: Die Kapitel der Reichsbistümer, die Reichsklöster und Stifte dienten aufgrund der damit verbundenen reichen Pfründen der standesgemäßen Versorgung für die nachgeborenen Söhne und Töchter des Adels in der jeweiligen Region.

Bei den Grafen und (Frei-)Herren handelte es sich um Gruppen von geringerem adeligen Rang, die nur über kleine Territorien verfügten und denen die Entwicklung zu eigenständiger Landesherrschaft nicht gelungen war. Ihnen mangelte es an den vollen Hoheitsrechten, und sie standen oft in Lehnsabhängigkeit zu den Nachbarfürsten. Ihre Reichsunmittelbarkeit war daher stets prekär, sie liefen beständig Gefahr, von mächtigen

Reichsfürsten mediatisiert, d. h. deren Landesherrschaft unterworfen zu werden. Auch wenn sie sich dem entziehen konnten und ihre Steuern weiterhin allein dem Kaiser zahlten, waren sie in der Regel von den mächtigen Nachbarfürsten derselben Konfession abhängig, versahen Ämter an deren Hof und orientierten sich an deren Politik: so die Wetterauer Grafen an der Kurpfalz, die norddeutschen Grafen an Kursachsen oder Kurbrandenburg, die schwäbischen Grafen am Kaiser.

Im Spätmittelalter waren fast alle Reichsfreiherren zu Grafen erhoben worden, so dass es in der Frühen Neuzeit de facto keinen Unterschied mehr zwischen beiden Gruppen gab. Auf den Reichstagen zu Beginn des 16. Jahrhunderts waren einzelne Grafen noch persönlich erschienen; sie konnten sich aber eine regelmäßige persönliche Teilnahme schon aus Kostengründen gar nicht leisten. Um ihre Vertretung dort gemeinsam zu finanzieren und zu koordinieren, aber auch um sich gegen die drohende Mediatisierung durch mächtige Nachbarn zu schützen, mussten sie sich korporativ organisieren, d. h. regional zusammenschließen, sich Statuten geben, eine Kasse führen, regelmäßig korrespondieren usw., was allerdings stets mit großen praktischen Problemen verbunden war. Die älteste und effizienteste dieser Korporationen war der Wetterauer Grafenverein. Später kam der Schwäbische Grafenverein hinzu; beide bildeten auf Reichstagen seit 1524 je eine Bank mit einer kollektiven «Kuriatstimme». 1640 formierten sich eine fränkische, 1653 eine niederrheinisch-westfälische Grafenbank auf dem Reichstag. Die Wormser Matrikel nennt 143 einzelne Grafen und Herren. Rund ein Drittel dieser Familien starb im Laufe der Frühen Neuzeit aus, ein weiteres Drittel fiel der fürstlichen Mediatisierung zum Opfer oder stieg in den Reichsfürstenstand auf. Viele gräfliche Territorien gerieten durch Heirat oder Erbfolge in den Besitz großer Fürstendynastien, was die Solidarität der Grafenvereine immer mehr aushöhlte. Umgekehrt wurden aber auch viele Familien in den Grafenstand erhoben, so dass es zu wachsenden Spannungen zwischen Alt- und Neugrafen kam. Die alten reichsgräflichen Familien stellten eine wichtige Gruppe der kaiserlichen Klientel, sie waren vielfach auf kaiserliche Hof-

und Militärdienste angewiesen. Ihre selbstständige reichsunmittelbare Existenz war ganz von der kaiserlichen Unterstützung abhängig; ohne den Reichsverband hätten sie ihre politische Selbstständigkeit nicht erhalten können.

Die dritte Gruppe, die auf Reichstagen vertreten war und dort ein eigenes Beschlussgremium bildete, waren die **Reichsstädte** – eigentlich bürgerliche Fremdkörper in dem vom Adel dominierten Reichsverband, privilegierte Rechtsräume in einer grundherrschaftlich strukturierten Umwelt. Die Reichsstädte waren autonome bürgerliche Gemeinden, die sich durch Rat und Bürgermeister in jeder Hinsicht selbst regierten und eine fürstengleiche Hoheit beanspruchten – sie erhoben Abgaben, sprachen Recht, übten zum Teil sogar Herrschaft über das umliegende Territorium aus. Sie erkannten allein den Kaiser als Herrn und leisteten nur ihm Abgaben. Anders als viele andere mehr oder weniger autonome Städte im Reich vermochten sie sich deshalb der administrativen Unterordnung unter die fürstliche Landesherrschaft nachhaltig zu entziehen. Entweder hatten sie als Teile des früheren Reichsgutes seit jeher unmittelbar zum Kaiser als Stadtherrn in einem direkten Untertanenverhältnis gestanden (Reichsstädte im strengen Sinne, z. B. Nürnberg, Ulm, Frankfurt), oder sie hatten sich im Lauf des Mittelalters von einem anderen Stadtherrn befreit (Freie Städte, z. B. Köln, Speyer, Regensburg). Städte als Gewerbe- und Handelszentren, zumal so reiche und bedeutende wie Augsburg oder Nürnberg, waren von zentraler Bedeutung für den Stadtherrn, der einen Teil ihrer Finanzkraft abschöpfen konnte. Grundsätzlich waren die Reichsstädte gegenüber dem Kaiser nicht wie adelige Vasallen konsensberechtigt, sie durften allenfalls über die Modalitäten verhandeln, wie sie ihre Abgaben zu leisten hatten, die Pflicht dazu stand nicht in Frage.

Die Wormser Matrikel nannte 85 Reichsstädte, aber der Status der Reichsfreiheit war bei vielen durchaus umstritten, und es war lange Zeit noch offen, ob sie kommunale Autonomie und Reichsfreiheit behaupten bzw. durchsetzen konnten oder von dem jeweiligen Landesherrn, in dessen Territorium sie lagen, mediatisiert wurden, wie beispielsweise Braunschweig oder Bre men. Manche Städte lavierten lange zwischen beiden Optionen erfolgreich hin und her, z.B. Hamburg. Insgesamt reduzierte sich ihre Zahl aber im Laufe der Frühen Neuzeit um etwa ein Viertel. Die meisten Reichsstädte lagen im Westen und Südwesten des Reiches: in Franken, Schwaben, im Elsass, am Mittelrhein und in Westfalen. Sie waren untereinander extrem heterogen, was Größe und Wirtschaftskraft anging; die Reihe reichte von großen und reichen Handelszentren wie Ulm, Augsburg, Nürnberg oder Köln bis hin zu winzigen Kommunen wie Buchau oder Zell am Harmersbach.

Seit 1471 versammelten sich die Gesandten der Städte auf Städtetagen und organisieren sich korporativ, ähnlich wie die Grafen, zur gemeinsamen Verfolgung ihrer Interessen und Wahrung ihrer Rechte. Nach anfänglicher Unentschiedenheit über ihre Rolle auf Reichstagen bildeten sie schließlich ein eigenes Beratungsgremium, die Städtekurie, und organisierten sich ebenso wie Grafen und Prälaten in zwei Bänken, der schwäbischen und der rheinischen Städtebank, wo sie (oft kollektiv) durch Gesandte vertreten waren. Während in allen anderen Reichsgremien ihre Beteiligung seit dem Anfang des 16. Jahrhunderts nicht in Frage stand, waren die städtischen Partizipationsmöglichkeiten auf Reichstagen zunächst sehr gering, weil die beiden oberen Kurien sich allein mit dem Kaiser einigten oder, wenn das nicht der Fall war, jedenfalls den Städten kein Entscheidungsrecht zubilligten. Erst auf dem Reichstag 1582 wurde ihnen ein solches *votum decisivum* zugebilligt, das im Westfälischen Frieden bestätigt wurde.

Eine Sonderrolle im ständischen Gefüge des Reiches spielten die Reichsritter. Dabei handelte es sich um Mitglieder des Niederadels im Südwesten des Reiches, Nachfahren ehemaliger Reichsministerialen, die keine Landesherrschaft, sondern nur Niedergerichtsrechte innehatten, aber dennoch ihre Reichsunmittelbarkeit behaupten und sich der Mediatisierung durch mächtige Landesherren im Laufe des 16. Jahrhunderts erfolgreich und dauerhaft widersetzen konnten. Von den Reichsfürsten und auch den Grafen waren sie durch eine im Lauf der Frühen Neuzeit zunehmend verfestigte Heiratsschranke getrennt. Trotz der Tatsache, dass sie keinem Landesherrn unterworfen waren, nur den Kaiser als ihren Oberherrn anerkannten, beteiligten sie sich nicht an Reichstagen. Sie wurden nicht in die Wormser Matrikel und auch nicht in die Reichskreisverfassung mit ihren Gremien aufgenommen (S. 49 ff.).

Die Ritter waren um die Wende zur Neuzeit durch den Strukturwandel des Militärwesens und den Territorialisierungsprozess der großen Landesherrschaften mehr noch als Grafen und Prälaten in ihrer unabhängigen Existenz bedroht. Um ihren militärischen Bedeutungsverlust zu kompensieren und sich gegen die Mediatisierung durch mächtige Landesfürsten, in deren Territorien ihre Güter lagen, zu verteidigen, schlossen sie sich seit dem 15. Jahrhundert in Ritterbünden korporativ zusammen (z. B. in der «Gesellschaft mit dem Sankt Jörgen-Schild»). 1542 mit der Forderung des Kaisers nach Beteiligung an der Türkensteuer konfrontiert, organisierten sie sich neu, um eigene Steuerzahlungen an den Kaiser aufzubringen, was ihnen durch kaiserliche Privilegien zugestanden wurde. Diese Steuern wurden allerdings stets als freiwillige Beiträge («Caritativsubsidien») ausgegeben, weil die Ritter ja an den Reichstagen nicht beteiligt waren und sich daher von den dort gefassten Beschlüssen nicht verpflichtet fühlten. Einen organisatorischen Gesamtverbund gab es nie, sondern nur 15 «Ritterorte» oder «Ritterkantone», die in drei Ritterkreisen (fränkischer, schwäbischer und rheinischer Kreis) zusammengefasst waren. Im Laufe der Frühen Neuzeit vermochten diese Ritterkreise teilweise die strukturellen Schwächen der ritterlichen Kleinstherrschaften dadurch zu kompensieren, dass sie neue politische Aufgaben gemeinsam organisierten. Ähnlich wie die südwestdeutschen Grafen waren auch die Ritter ein wichtiges Element der kaiserlichen Klientel. Einzelne Ritterfamilien stiegen im Dienst des Kaisers und der Reichskirche in höchste Reichsämter auf – prominentestes Beispiel sind die Schönborn, denen es durch gezielte dynastische Strategien gelang, mehrere Kurfürstentümer und Reichsbistümer zu besetzen.

Als Kuriosum der Reichsverfassung sind schließlich auch die Reichsdörfer zu erwähnen. Dabei handelte es sich um einige wenige autonome bäuerliche Landgemeinden, die sich seit dem Mittelalter gegen jede Mediatisierung hatten behaupten können und reichsunmittelbar geblieben waren, weil sie über kaiserliche oder reichsgerichtliche Schutzbriefe verfügten. Die Reichsdörfer waren mehr noch als die Reichsritterschaft mittelalterliche Relikte, die sich als Anachronismen in die neuzeitliche, weitgehend territorialstaatlich strukturierte Umwelt hatten hinüberretten können – 1803 gab es noch fünf davon; Jean Paul hat ihnen in seiner Darstellung des «Reichsmarktfleckens Kuhschnappel» ein satirisches Denkmal gesetzt. Gleichwohl sind sie kennzeichnend für den Charakter des Reichsrechts, das grundsätzlich dafür sorgte, dass alte Strukturen durch neue nie ganz beseitigt wurden.

III. Die Phase der institutionellen Verfestigung (1495–1521)

Bis weit ins 15. Jahrhundert war das Reich eher ein «Interessengeflecht führender Familien» (Peter Moraw) als ein geschlossenes politisches Gemeinwesen. Eine Reihe innerer Strukturprobleme und äußerer Konflikte verstärkten nun die Notwendigkeit zur Kooperation und führten dazu, dass im Reich neue, dauerhafte und belastbare institutionelle Formen entwickelt wurden.

Im 15. Jahrhundert vollzogen sich eine Reihe fundamentaler struktureller Umbruchprozesse. Marktverflechtung und Geldwirtschaft nahmen allgemein zu; im oberdeutschen Raum entwickelten sich die Städte auf der Grundlage von Bergbau, Metall- und Textilgewerbe sowie Kreditwesen zu Zentren eines neuartigen Handelskapitalismus. Im Militärwesen hatte die Entwicklung von Festungsbau und Artillerie das alte Lehnsaufgebot adeliger Panzerreiter anachronistisch werden lassen; Kriegsunternehmer boten stattdessen angeworbene Söldnertruppen an, die sich aus allen Ständen rekrutierten. Auch der Krieg geriet wie alle Lebensbereiche in den Sog der Geldwirtschaft. Die

Rezeption des spätantiken gelehrten römischen Rechts führte zur allmählichen Professionalisierung der Justiz und der fürstlichen Räte.

Von all dem war der niedere Adel am härtesten betroffen. Viele der großen Landesherren vermochten hingegen davon zu profitieren und ihre Territorien auf Kosten des Ritteradels weiter zu arrondieren. Dieser niedere Adel beharrte darauf, sein Recht (bzw. was er dafür hielt) mit Waffengewalt zu verfolgen. Ein als zunehmend bedrohlich wahrgenommenes Phänomen war daher das unkontrollierte Fehdewesen im Reich. Ein Monopol legitimer Gewaltausübung gab es noch nicht. Gerade angesichts zunehmender wirtschaftlicher Verflechtung war es besonders wichtig, die Sicherheit und Freiheit des Warenverkehrs, die Zuverlässigkeit der Münzen und des Kreditwesens usw. überregional zu garantieren – Aufgaben, die die Möglichkeiten eines einzelnen Landesherrn überschritten. In den Augen der Zeitgenossen war es die traditionelle Aufgabe des Kaisers, Frieden und Recht zu wahren; sie nahmen die Strukturprobleme daher vor allem als Versagen der kaiserlichen Gewalt wahr, zumal sich der Kaiser meist außerhalb des Reiches aufhielt. All das brachte einen neuartigen Bedarf an politischer Zusammenarbeit im Reich hervor.

Darüber hinaus waren es vor allem eine Reihe äußerer Bedrohungen, die eine Kooperation im Reich erzwangen: die Hussitenkriege zu Beginn des 15. Jahrhunderts; die seit der osmanischen Eroberung von Byzanz im Jahr 1453 ständig präsente Bedrohung durch die Türken im Südosten; der Krieg gegen Matthias Corvinus von Ungarn, der 1485 Wien eroberte; die Auswirkungen des Hundertjährigen Kriegs zwischen Frankreich und England auf den Westen des Reiches; der Krieg gegen den von Großmachtplänen geleiteten Herzog Karl den Kühnen von Burgund; schließlich seit 1494 die Einfälle des französischen Königs in Italien. Kriege zu führen war aufgrund der militärischen Überlegenheit von Söldnerheeren gegenüber Lehnsaufgeboten teuer geworden. Ein Reichskammergut, aus dem die mittelalterlichen Kaiser ihre Aufgaben hatten bestreiten können, besaß der Kaiser inzwischen nicht mehr. Steuern konnte er nicht einfach erheben; sie galten als Ausnahme, und er musste die anderen Herrschaftsträger darum bitten. Für die genannten Konflikte war er nun gezwungen, außerordentliche Steuern von *allen* Reichsgliedern zu erbitten. Das aber setzte voraus, dass man sich erst einmal Rechenschaft darüber ablegte, wer denn überhaupt dazugehörte und wer nicht.

Ein verstärkter Kooperationsbedarf ergab sich auch dadurch, dass die habsburgischen Kaiser selbst ihren Herrschaftsmittelpunkt an der südöstlichen Peripherie des Reiches hatten und weitgehend reichsfern regierten, so vor allem der über fünfzig Jahre herrschende Friedrich III. Im 15. Jahrhundert kam es daher zu zahlreichen Reichsversammlungen, auf denen sich die Kurfürsten allein oder mit anderen Ständen ohne den Kaiser trafen, auf denen sie sich aber meist nicht einigen konnten und sich immer wieder vertagten. Das hohe Konfliktpotential im Inneren des Reiches und an den Grenzen führte insgesamt zu einer dichteren und häufigeren Kooperation unter den Reichsgliedern als je zuvor. Dabei entwickelten sich allmählich festere Verfahrensformen, und man wurde sich einer politischen Zusammengehörigkeit und eines gemeinsamen Interesses vielfach überhaupt erst bewußt. Zugleich wurde aber auch angesichts der vielen gescheiterten Bemühungen die Reformbedürftigkeit des Reiches immer unabweisbarer, die in verschiedenen Schriften schon seit Beginn des 15. Jahrhunderts – unter anderem im Zusammenhang mit den beiden großen Reformkonzilien der Kirche in Konstanz (1414–1418) und Basel (1431–1449) – diskutiert worden war.

Die institutionellen Veränderungen der Reichsordnung, zu denen es um die Wende zur Neuzeit schließlich kam, sind nicht zu verstehen ohne die ungeheure Machtkonzentration in der Habsburgerdynastie zur gleichen Zeit. Kaiser Friedrich III. starb 1493. Nachfolger wurde sein Sohn Maximilian, der 1477 die Erbin des burgundischen Großreiches Karls des Kühnen geheiratet hatte und 1486 zum römischen König gewählt worden war. Von dem burgundischen Erbe verlor er zwar das eigentliche Herzogtum Burgund wieder, verteidigte aber den größten Teil erfolgreich und behauptete die Herrschaft über den extrem reichen und dicht bevölkerten, hochgradig urbanisierten und wirtschaftlich fortgeschrittenen niederländischen Territorienkomplex. Ein weiterer glücklicher dynastischer Schachzug war 1496 die Heirat von Maximilians Sohn Philipp dem Schönen mit der Tochter des Königspaares von Kastilien und Aragon, Johanna. Weil andere mögliche Erben vorher starben, erwuchs den Habsburgern daraus das Erbe der beiden spanischen Kronen, mit denen wiederum der Herrschaftsanspruch über die von Columbus im spanischen Auftrag entdeckte Neue Welt verbunden war. Eine weitere Heiratsverbindung sicherte zu Beginn des 16. Jahrhunderts noch das Königreich Böhmen mit seinen Nebenländern. Die Folge war eine einzigartige Territoriensammlung und damit Machtkonzentration bei derjenigen Dynastie, der der Kaiser angehörte.

Kaiser Maximilian I. brachte eine Reihe von Errungenschaften aus den reichen und fortschrittlichen Niederlanden ins Reich mit: die prunkvollen neuen Formen der Herrschaftsinszenierung des burgundischen Reichs, moderne Formen des Militärwesens mit Söldnertum und Artillerie, neue Formen der Finanzverwaltung. Ein Nebeneffekt der überregionalen habsburgischen Großmachtbildung von großer Tragweite war die Erfindung und Etablierung des modernen Postwesens, mit dem die Habsburger ihre weit auseinander liegenden Länder, die Wirtschaftszentren in Oberitalien, Oberdeutschland, den Niederlanden und Spanien, miteinander verbanden. Die Innovation bestand darin, dass die Beförderung von Nachrichten zu Pferd durch die Einrichtung fester Poststationen, an denen Pferde und Reiter gewechselt werden konnten, beschleunigt und verstetigt wurde. Maximilian verlieh ein Monopol, diese Post zu betreiben, an die Familie Thurn und Taxis, die ein System fester Kurse und Termine aufbaute und den Postverkehr grundsätzlich gegen Bezahlung allgemein zugänglich machte. Das kaiserliche Postwesen leitete – in Verbindung mit den weit reichenden Folgen des Buchdrucks – eine regelrechte Revolution des Kommunikationswesens ein.

Unter der Herrschaft Maximilians I. (1493–1519) wurden im Reich Weichen für die strukturelle Entwicklung der folgenden

300 Jahre gestellt. Man spricht von dem «Zeitalter der Reichsreform» – was aber irreführend ist. Es handelte sich nicht um
eine Reform im modernen Sinne. *Reformatio* verstand sich als
Rückkehr zur «guten alten Ordnung», nicht als programmati-
sche Zukunftsgestaltung. Das politische Handeln der Beteiligten
war kein planmäßiges, groß angelegtes Vorgehen auf ein gemeinsames Ziel hin, sondern eher ein pragmatisches Reagieren auf die
jeweils sich stellenden Probleme, ein Suchen nach Kompromissen von Tag zu Tag. Im Effekt erwuchsen daraus aber tatsächlich
neue, zukunftsträchtige politische Strukturen. Die Reformmaß-
nahmen bewirkten einen Institutionalisierungs- und Verrecht-
lichungsschub. Auch wenn die Reichsglieder weiterhin ihre
vielfach konkurrierenden Partikularinteressen verfolgten, so arbeiteten sie doch seither auf der zentralen Ebene des Reiches als
Gesamtverband in relativ festen institutionalisierten Formen
zusammen. Symptomatisch dafür ist, dass der Begriff «Reich» –
im Mittelalter diffus und oft synonym für den König bzw. Kaiser
gebraucht – nun seit dem späten 15. Jahrhundert zunehmend die
Gesamtheit der Reichsstände bezeichnete, entweder mit oder
auch ohne den Kaiser, und darauf verwies, dass das Reich als
Institutionengefüge auch unabhängig von der Person des jeweiligen Herrschers fortbestand («Kaiser *und* Reich»). Der Reichstag
von Worms 1495 bildete den Kulminationspunkt dieses institutionellen Verdichtungsprozesses. Für diese Versammlung taucht
in den Quellen erstmals die Bezeichnung «Reichstag» auf. Darin
kommt zum Ausdruck, dass es sich um eine Versammlung des
Ganzen handelte, die auch verpflichtend für die Gesamtheit handeln sollte, und nicht mehr allein um einen traditionellen Hoftag,
zu dem der Kaiser beliebige Vasallen und Getreue einladen
konnte. Maßgeblichen persönlichen Einfluss auf die dort be-
schlossenen Gesetze hatte der Erzbischof von Mainz als Reichserzkanzler, Berthold von Henneberg. Für ihn ist zwar kein expli-
ziter Reformplan nachweisbar, er verfolgte aber am ehesten von
allen Beteiligten eine durchdachte politische Strategie, wie die
Strukturprobleme des Reiches zu lösen seien.

Konkreter Anlass für den Wormser Reichstag von 1495 war
der Regierungsantritt Maximilians I. Es war der erste Hoftag

des neuen Königs, den entsprechend der mittelalterlichen Tradition viele Kurfürsten und Fürsten in Person besuchten, um dort den neuen Herrscher in aller Pracht zu feiern, sich von ihm belehnen zu lassen, die eigene Macht mit großem Gefolge zu inszenieren, aber auch um über die Lösung politischer Probleme zu beraten. Die Ziele, die die Beteiligten auf diesem Hoftag verfolgten, waren durchaus verschieden: Der Kaiser brauchte zwar von den Reichsständen Geld für die Abwehr der Türken und den Krieg gegen den französischen König in Italien. Er trat aber als starker und fordernder Herrscher auf und betrachtete die Reichsstände eher als Bittsteller an seinem Hof. Diese hingegen verlangten Mitsprachemöglichkeiten in gemeinsamen Reichsangelegenheiten als Gegenleistung für ihr Geld. Die Impulse für die «Reichsreform» kamen also aus zwei Richtungen: Auf der Seite der Zentralgewalt war es das immense Geldbedürfnis für die zahlreichen Kriege; auf der Seite der Reichsstände hingegen war es das Bedürfnis nach Lösung gemeinsamer struktureller Probleme, aber mit dem Anspruch, daran fortan in regelmäßiger Form beteiligt zu werden. Dabei bestand von vornherein ein strukturelles Spannungsverhältnis: Einerseits gab es einen Bedarf an zentralen Regelungen, die nicht ohne die Mitwirkung der Reichsstände durchführbar waren und die auch grundsätzlich im Interesse aller oder der meisten lagen; andererseits hatte jeder Reichsstand (vor allem die mächtigeren unter ihnen) ein starkes Eigeninteresse, das nur zum Teil mit den Anliegen der Gesamtheit oder gar des Kaisers übereinstimmte. Die so genannte «Reichsreformbewegung» wurde daher von vornherein von vielen Reichsständen nur halbherzig getragen.

Trotzdem brachte der Reichstag unter der Leitung Bertholds von Henneberg nach langen Verhandlungen und vielfältigen Kompromissen eine Reihe miteinander zusammenhängender grundlegender Reformgesetze zustande, die sich allerdings in der Folgezeit durchaus nicht alle gleichermaßen als realisierbar erwiesen. Die elementarste Regelung war der «Ewige Landfrieden»: ein zeitlich unbefristetes, immerwährendes, unbedingtes Fehdeverbot. Das war neu, denn vorher gab es immer nur zeitlich oder sachlich befristete Übereinkünfte gegen das Fehdewesen. Die Verfolgung des eigenen Rechts mit Gewalt, ein ehemals als legitim angesehenes Mittel der Konfliktaustragung nicht nur unter Adligen, wurde damit grundsätzlich verboten. Tatsächlich war dies ein Schritt zur Etablierung eines Gewaltmonopols durch die Landesherren, deren Gewaltanwendung im Zuständigkeitsbereich ihrer Gerichtsbarkeit weiterhin legitim war.

Ein Fehdeverbot allein reichte nicht; zur Sicherung des Landfriedens musste auch nachhaltiger dafür gesorgt werden, dass Konflikte anders als mit Gewalt, nämlich auf einem förmlichen Rechtsweg gelöst werden konnten. Deshalb wurde unter dem Titel «des Kaisers und des Reichs Kammergericht» (kurz: Reichskammergericht) eine in Zusammensetzung und Verfahren völlig neue Gerichtsinstanz etabliert. Vordergründig handelte es sich um eine Umstrukturierung des alten kaiserlichen Kammergerichts; tatsächlich wurde aber die traditionelle Rolle des Kaisers als höchster Richter im Reich zugunsten einer ständisch dominierten Gerichtsbarkeit unterlaufen. Das zeigte sich schon darin, dass das Gericht räumlich vom Kaiserhof getrennt wurde. Es tagte zuerst an wechselnden Orten, dann seit 1527 fest in Speyer, schließlich seit 1689, als man vor den Truppen Ludwigs XIV. fliehen musste, bis zum Untergang des Reiches in Wetzlar. Der Kaiser ernannte zwar den so genannten «Kammerrichter» als Präsidenten des Gerichts, aber die Reichsstände bestimmten (nach einem komplizierten und mehrmals geänderten geographischen und ständischen Schlüssel) die Schöffen oder Assessoren als die eigentlichen Urteiler. Anwalt des Kaisers an diesem Gericht war der «Reichsfiskal». Die Gerichtsordnung (die 1555 und 1654 erheblich verändert wurde) legte eine feste Zahl teils adliger, teils rechtsgelehrter bürgerlicher Assessoren fest und schrieb einen am kanonischen Recht orientierten, schriftlichen Verfahrensgang vor. Das Reichskammergericht hatte eine Reihe verschiedener Zuständigkeiten: Es war die erste Instanz für alle unmittelbaren Reichsglieder, aber auch für Landfriedensbruch und Rechtsverweigerung in den Ländern. Darüber hinaus war es die höchste Appellationsinstanz, d. h. es konnten Prozesse von den Obergerichten der einzelnen Länder dorthin getragen werden, sofern nicht die Landesherren ein

so genanntes *privilegium de non appellando* besaßen, d. h. dass
man sich allein an ihre Gerichte als höchste Berufungsinstanzen
wenden konnte. Die Reichskammergerichtsordnungen waren
maßgebend für die Rezeption des römischen Gelehrtenrechts
und für die damit einhergehende Professionalisierung und Ver-
einheitlichung der Justiz im Reich; sie dienten als Vorbilder für
die Gerichtsorganisation in den einzelnen Territorien.

Als Reaktion auf die ständische Besetzung des Reichskammergerichts erließ Maximilian I. 1498 eine neue Ordnung auch für
den Reichshofrat, die zentrale Regierungs-, Lehens- und Ju-
stizbehörde sowohl für die habsburgischen Erbländer als auch
für das Reich als Ganzes, die sich zur zweiten höchsten Gerichtsinstanz neben dem Reichskammergericht entwickelte,
ohne dass es je eine eindeutige Kompetenzabgrenzung zwischen
beiden gegeben hätte. Der Reichshofrat war und blieb das Organ
des Kaisers als des unbestritten höchsten Richters im Reich und
von ständischer Mitwirkung unabhängig; spätere Versuche der
Reichsstände, auf sein Verfahren und seine Zusammensetzung
Einfluss zu nehmen, scheiterten. Trotzdem erwies er sich im
Laufe der Frühen Neuzeit als der wesentlich effizientere und
schnellere, auch von den Reichsständen selbst oft in Anspruch
genommene höchste Gerichtshof, während das Reichskammergericht mehrfach in den Sog der konfessionellen Spaltung hineingezogen und in seiner Arbeit blockiert wurde (S. 70 f., S. 106 ff.).

Die Existenz dieser beiden Reichsgerichte hat die Verfassung
des Reichs bis zu seinem Ende geprägt und zu dessen Verrechtlichung wesentlich beigetragen. Das heißt: Politische, wirt-
schaftliche, soziale und religiöse Konflikte wurden zunehmend
rechtsförmig ausgetragen. Dabei waren alle denkbaren Konstel-
lationen zwischen Klägern möglich: Reichsglieder konnten gegeneinander klagen, aber vor allem auch Untertanen gegen ihre
jeweiligen Obrigkeiten, Landstände gegen ihre Landesherren,
bäuerliche Gemeinden gegen ihre Grundherren, einzelne Privat-
personen gegeneinander usw. Bei aller oft beklagten Schwerfälligkeit und politischen Abhängigkeit dieser Gerichte ist ihre
Bedeutung für die innere Kohärenz des Reiches doch nicht zu
unterschätzen. Auch wenn die auf den Rechtsweg gebrachten

Konflikte keineswegs immer abschließend beigelegt, geschweige
denn die Urteile (vor allem gegen mächtige Reichsstände) pro-
blemlos durchgesetzt werden konnten, so wurden sie doch
zumindest dauerhaft in der Schwebe gehalten und gewaltsame
Auseinandersetzungen dadurch sehr oft verhindert.

Das Reichskammergericht erforderte eine stabile gemeinsame
Finanzierung. Dazu (und zur Rückzahlung der dem Kaiser schon
geleisteten Türkenhilfe) wurde auf dem Wormser Reichstag eine
allgemeine Steuer beschlossen, der so genannte Gemeine Pfennig. Zunächst auf vier Jahre bewilligt, folgte diese Steuer einem
sehr modernen Konzept: Von jedem Einwohner des Reichs über
fünfzehn Jahren (Männer und Frauen!) sollte eine nach Ver-
mögen grob gestaffelte Geldabgabe erhoben, über die einzelnen
Pfarreien eingezogen und von einer neu einzurichtenden Steuer-
behörde verwaltet werden. Das heißt, dass über die Köpfe der
Landesherren hinweg alle Untertanen gleichermaßen, unmittelbar und individuell erfasst worden wären. Der Gemeine Pfennig
hätte dem Reich als Ganzem Zugriff auf die finanziellen Ressourcen der Territorien ermöglicht und eine wesentliche Grundlage für die Etablierung moderner staatlicher Strukturen auf
Reichsebene gelegt. Genau aus diesem Grund scheiterte die
Durchführung des Gesetzes im Laufe der ersten Jahrhundert-
hälfte; es lag nicht im Interesse der Landesherren. Die Aufbringung von Reichssteuern blieb stattdessen die ganze Frühe
Neuzeit hindurch in der Hand der Reichsstände und vollzog
sich nach einem Umlageverfahren, d. h. die von ihnen in so genannten «Römermonaten» bewilligte Summe wurde nach einem
bestimmten Schlüssel auf alle Reichsstände umgelegt. Diesen
Schlüssel stellte die schon mehrfach erwähnte Wormser Matrikel von 1521 auf, die indes ständig umstritten war und deren
flexible Anpassung an sich wandelnde Verhältnisse («Modera-
tion») nie gelang, weil die von ihr begünstigten großen Reichsfürsten das verhinderten. Die Reichsstände setzten durch, dass
sie die Reichssteuern nicht aus ihrem Kammergut bezahlen
mussten, sondern sie ihrerseits auf ihre Untertanen umlegen
durften. Zu einer allgemeinen direkten Steuer auf alle Untertanen kam es hingegen nie; es gab daher in steuerlicher Hin-

sicht nie einen Reichsuntertanenverband. Vielmehr stärkten die Reichssteuern indirekt die Steuerhoheit der Landesherren, weil sie sie von der jedesmaligen Bewilligung durch ihre Landstände allmählich immer unabhängiger machten.

Schließlich wurde auf dem Wormser Reichstag eine Vereinbarung zwischen Kaiser und Reichsständen getroffen, die so genannte «Handhabung Friedens und Rechtens», die zur dauerhaften Beteiligung der Reichsstände an der Politik jährlich stattfindende Reichstage vorsah und den Konsens der Stände bei Steuerbewilligung, Entscheidung über Krieg und Frieden und Bündnisse festschrieb. Diese Regelmäßigkeit ließ sich in der Folgezeit nicht realisieren. Die Vereinbarung legitimierte aber nachträglich die Praxis der Reichstage, wie sie sich im letzten Viertel des 15. Jahrhunderts allmählich herausgebildet hatte.

Das im 16. Jahrhundert eingeschliffene Verfahren auf Reichstagen sah so aus, dass der Kaiser über den Reichserzkanzler als Verfahrensleiter, den Kurfürsten von Mainz, alle Reichsstände in eine zentral gelegene Reichsstadt einlud: etwa nach Regensburg, Nürnberg, Augsburg, Worms, Speyer. Eröffnet wurde das Ganze in hoch zeremonieller Form durch eine Messe zum Heiligen Geist, die dem Verfahren eine sakrale Autorität verlieh. In einer feierlichen Eröffnungssitzung in Anwesenheit des Kaisers bzw. seines Stellvertreters wurde die Proposition verlesen, mit der der Kaiser die Beratungsgegenstände vorgab. Der richtigen hierarchischen Sitzordnung der Stände wurde dabei größte Aufmerksamkeit geschenkt; in ihr kam die Rangordnung des Reiches symbolisch zur Erscheinung, und sie war daher ständig umstritten.

Anschließend trennten sich die drei Kollegien («Kurien» oder «Räte») der Kurfürsten, Fürsten und Städte zu geheimer Beratung ohne den Kaiser. In den Kollegien wurde nach dem Prinzip der «Umfrage» verfahren, d. h. alle Stände bzw. ihre Gesandten gaben reihum zu jedem Beratungsgegenstand ihre Meinung ab, und das wurde so lange wiederholt, bis sich eine einhellige Position abzeichnete. Dass man die Stimmen zählte und nach Mehrheitsprinzip entschied, galt als Notbehelf; grundsätzlich war man um Konsens bemüht. In der zweiten Hälfte des 16. Jahrhunderts bürgerte es sich ein, die Voten in allen drei Kurien zu protokollieren. Dann wurden die Ergebnisse der Einzelberatungen zwischen den ersten beiden Kurien ausgetauscht und abgestimmt (Re- und Correlation), bis eine Einigung (*amicabilis compositio*) erzielt war. Das Ergebnis wurde dann der Städtekurie mitgeteilt, deren Einfluss auf die Entscheidungen ihrem hohen Anteil an den finanziellen Lasten keineswegs entsprach. Durch das ständische Kurienverfahren wog das gemeinsame Votum der Kurfürsten ebenso viel wie die Voten aller Fürsten zusammen; es verlieh ihnen also ein deutliches Übergewicht über alle anderen Stände. Zur leichteren Bewältigung sachlicher Aufgaben wurden häufig Ausschüsse eingesetzt, die sich meist nach bestimmten Schlüsseln aus allen drei Kurien zusammensetzen. Dabei wurde das Kurienprinzip insofern durchbrochen, als die Stimmen aller Ausschussmitglieder – auch der Städteboten, Prälaten oder Grafen – gleich viel zählten. Das ständeübergreifende Ausschusswesen scheiterte deshalb langfristig daran, dass die Kurfürsten ihr großes verfahrenstechnisches Übergewicht nicht verlieren wollten. Das Ergebnis des Austauschs zwischen den Kurien wurde als «Reichsgutachten» an den Kaiser übermittelt; wenn dieser zustimmte, wurde es zu einem «Reichsschluss». Dieser wurde wiederum in einer feierlichen Abschlusssitzung im Beisein des Kaisers oder seines Stellvertreters verlesen, von allen unterschrieben und besiegelt und schließlich als «Reichsabschied» im Druck publiziert.

Das Reichstagsverfahren wurde niemals nach Art einer modernen Geschäftsordnung schriftlich festgelegt; es bewahrte daher eine gewisse Flexibilität. Für das traditionale Recht ist es kennzeichnend, dass solche Spielregeln, obwohl nirgends gesetzlich kodifiziert, mit der Zeit als «löbliches Herkommen» Rechtscharakter annahmen.

Wesentliche Schritte auf dem Weg zur institutionellen Verfestigung der Reichstage waren die Schriftlichkeit der «Abschiede» und die zumindest tendenzielle Abschließung des Teilnehmerkreises, die de facto darüber entschied, wer reichsunmittelbar war oder nicht. Die Institutionalisierung des Reichstagsverfahrens war ein elementarer Schritt zur Integration des Reichsverbandes zu einem Ganzen, zu einer handlungsfähigen politischen Einheit. Das war in dem Maße der Fall, wie die auf dem Reichstag formgerecht gefassten Beschlüsse für *alle* Reichsglieder – auch die Abwesenden und die möglicherweise eine abweichende Meinung vertretende Minderheit – als verbindlich durchgesetzt werden konnten. Nach älterem Rechtsverständnis war nämlich nur derjenige zur Befolgung einer Vereinbarung verpflichtet, der ihr selbst zugestimmt hatte (*quod omnes tangit, ab omnibus approbetur*); d. h. durch bloße Abwesenheit konnte man sich dem entziehen. Der allgemeine Verpflichtungscharakter der Reichsabschiede wurde daher die ganze Frühe Neuzeit hindurch de facto nie vollkommen durchgesetzt. Die Verbindlichkeit der Beschlüsse auch für diejenigen, die ihnen nicht zugestimmt hatten, ließ sich gegen mächtige Reichsstände nicht erzwingen – vor allem deshalb, weil es dafür keine von den Ständen unabhängige Exekutivinstanz gab. Vor allem in Religionsfragen sollte sich das später zeigen.

Dennoch arbeiteten gerade im 16. Jahrhundert die Reichstage durchaus effizient. Sie waren keineswegs nur Instrumente zur Geldbeschaffung, sondern auch zur aktiven politischen Gestaltung. Zu Beginn des Jahrhunderts kam es zu einer intensiven Gesetzgebungstätigkeit: «Reichspoliceyordnungen» regelten Münz- und Kreditwesen, Handwerk und Gewerbe, enthielten Kleiderordnungen und andere Luxusverbote. Die so genannte *Constitutio Criminalis Carolina* (1532) kodifizierte und modernisierte das formelle und materielle Strafrecht im Reich. Solche Reichsgesetze galten allerdings im Wesentlichen nur subsidiär, d. h. sie griffen dort, wo das territoriale Partikularrecht nicht ausreichte, dienten aber oft auch als Vorbild für die Gesetzgebung in den Ländern.

Die Reichstage unterscheiden sich von modernen Parlamenten in elementarer Weise. Sie waren Repräsentationsorgane des Reiches in dem Sinne, dass sie – dem Anspruch nach – das Reich als handlungsfähige Einheit verkörperten und sichtbar darstellten. Anders als in modernen Parlamenten waren die Teilnahmeberechtigten der Reichstage aber *nicht* von irgendjemandem, gar von ihren Untertanen dazu beauftragt. Sie beanspruchten vielmehr als Herrschaftsträger von sich aus Mitspracherechte, und zwar entweder als Personen (so die Kurfürsten und Fürsten) oder als Korporationen (so die Städte oder Klöster). Es ging nicht etwa um die Repräsentation oder gar Interessenvertretung des «Volkes» im Sinne aller Einwohner des Reiches. Die Reichstage waren im 16. Jahrhundert noch immer auch soziale Ereignisse in der Adelsgesellschaft: Familientreffen der Chefs der großen Dynastien, meist verbunden mit Hochzeiten, Belehnungen, Turnieren, Jagden etc.; sie dienten der Herrschaftsinszenierung ebenso wie der politischen Beschlussfassung.

Landfriede, Reichskammergericht, Gemeiner Pfennig, Reichstage – die historische Bedeutung des Wormser Reichstags von 1495 lag nicht nur in diesen genannten vier Reformgesetzen – zumal sie ja nicht alle von dauerhaftem Erfolg waren. Seine Bedeutung lag vor allem auch darin, dass die Reichsstände hier erstmals ein «monatelanges politisch organisiertes Zusammenwirken» praktizierten und dies vom König faktisch auch akzeptiert wurde (Peter Moraw).

In der Folgezeit wurden die einzelnen Institutionen noch weiterentwickelt und verändert, und neue kamen hinzu. Zum einen – allerdings nur vorübergehend – das so genannte Reichsregiment. Dabei handelte es sich um den Versuch, ein ständisch besetztes, permanent tagendes Regierungsorgan für das ganze Reich zu etablieren, um die Handlungsfähigkeit des Ganzen dauerhaft sicherzustellen. Es hatte die Form eines Ausschusses der Reichstagsgesamtheit unter der Leitung des Mainzer Erzkanzlers, d. h. Bertholds von Henneberg. Ein solches Reichsregiment existierte zuerst von 1500 bis 1502, dann brach das Experiment ab: Niemand von den Reichsständen war auf Dauer bereit, seine Macht an ein solches überständisches Regiment abzugeben. Unter Karl V. wurde später ein zweites Mal ein Reichsregiment eingerichtet (1521–1530), das nun aber nur den Kaiser vertreten sollte, solange er sich außerhalb des Reiches aufhielt. Es unterstand dessen Bruder, dem römischen König und späteren Kaiser Ferdinand I., konnte sich aber ebenfalls gegenüber den einzelnen Ständen nicht genügend Geltung verschaffen. Zu weiteren Versuchen dieser Art kam es nicht mehr.

Ein wesentlich zukunftsträchtigerer Schritt zur institutionellen Verfestigung des Reichsverbands war die schon erwähnte Reichkreisverfassung. 1500 wurden zunächst sechs «Reichskreise» gebildet, d. h. das Reich wurde in sechs geographische Einheiten eingeteilt, die aus jeweils benachbarten Territorien bestanden (fränkischer, bayerischer, schwäbischer, oberrheinischer, niederrheinisch-westfälischer und sächsischer Kreis). Zunächst dienten diese Kreise als Grundlage für die Wahlen zum Reichsregiment, dann auch für die Besetzung des Reichskammergerichts. Auf dem Reichstag in Köln 1512 wurden vier weitere Kreise geschaffen (österreichischer, burgundischer, kurrheinischer und obersächsischer Kreis), um die bisher nicht erfaßten habsburgischen Erbländer und die Territorien der Kurfürsten ebenfalls einzubeziehen. Italien, die Eidgenossenschaft und Böhmen, aber auch die Reichsritter blieben außerhalb der Kreiseinteilung. Die Kreise organisierten sich seit den 1530er Jahren über Kreistage, die in der Regel der bedeutendste Reichsstand ausschrieb, mit Kreishauptmann, Kreiskasse und -archiv. Sie entwickelten sich zu vielseitigen Exekutionsorganen für alle die Aufgaben, die die Grenzen einzelner Stände überschritten, aber für das Reich als Ganzes nicht handhabbar waren, vor allem für die Exekution der Reichsgerichtsurteile und den Landfriedensschutz. Allmählich wuchsen den Reichskreisen immer mehr Aufgaben zu, vor allem die Verteidigung nach außen, die in der Exekutionsordnung von 1555 und in der «Reichskriegsverfassung» von 1682 geregelt wurde (S. 60 ff. und S. 96 f.), aber auch Verkehrswesen, Marktordnung usw. Allerdings wurde keineswegs in allen Kreisen die gleiche Aktivität entfaltet. Besonders viele Funktionen erfüllten sie vor allem dort, wo viele kleine Stände zusammengefasst waren, wie im schwäbischen, fränkischen und oberrheinischen Kreis. Weniger leisteten die Kreise, die von großen und mächtigen Reichsständen dominiert waren, wie der bayerische oder der obersächsische Kreis. Der kurrheinische Kreis hatte kaum eine Funktion, weil die Kurfürsten ohnehin auf Kurfürstentagen kooperierten.

Die Kreisverfassung ist überaus kennzeichnend für die Reichsverfassung insgesamt. Angesichts mangelnder Exekutivorgane war man für die Durchführung zentraler Beschlüsse stets auf die Mitwirkung derer angewiesen, die sie betrafen. Auch in den Kreisen funktionierte nichts gegen den Willen der mächtigen Kreisstände, und diese konnten die Kreisorganisation für ihre Interessen instrumentalisieren. Am besten funktionierten die Kreise wie andere Reichsinstitutionen vor allem da, wo sie die strukturelle Schwäche der vielen mindermächtigen Stände kompensieren konnten.

IV. Die Herausforderung durch die Reformation (1521–1555)

Kaum hatten sie sich etabliert, da wurden die Reichsinstitutionen auf eine existentielle Belastungsprobe gestellt. Die reformatorische Bewegung, die der Augustinermönch Martin Luther im kursächsischen Wittenberg 1517 angestoßen hatte, führte zu politischen Konflikten, die die zugleich weltliche und geistliche Ordnung des Reiches erschütterten, aus denen diese Ordnung schließlich verändert, aber auch gestärkt hervorging.

Die Wahl Karls V., des Enkels Maximilians I., zum Kaiser 1519 verschaffte dem Haus Habsburg einen beispiellosen Großmachtstatus (S. 38 f.). Als Gegengewicht diktierten die Kurfürsten dem Kaiser zwar eine Wahlkapitulation, in der sie sich und die anderen Reichsstände gegen die drohende Gefahr einer ganz an den Interessen Habsburgs orientierten Politik abzusichern suchten. Sie konnten indes nicht verhindern, dass Karl V. eine dynastische Großmachtpolitik verfolgte und sich dazu auf die alte universalistische Kaiseridee berief. Der neue Kaiser war von seiner Verantwortung für die Erhaltung und Reform der *einen* Kirche überzeugt. Darauf hatten viele Humanisten und Reformatoren zunächst sogar gehofft. Luther appellierte in seiner berühmten Schrift «An den christlichen Adel deutscher Nation» von 1520 an den jungen Kaiser und die deutschen Fürsten, die seit langem geforderte und allseits für nötig gehaltene Reform der Kirche zu ihrer Aufgabe zu machen. Die «Gravamina der deutschen Nation» gegenüber der römischen Kurie bestanden in einem langen Katalog von Missständen, die auf den vielfältigen Eingriffsmöglichkeiten des Papstes im Reich beruhten. Es gab zahllose Rechte, die der Papst in deutschen Territorien geltend machen und aus denen er Einkünfte beziehen konnte – Rechte bei der Pfründenvergabe, Ablässe, Dispense von kirchenrechtlichen Vorschriften usw. –, Finanzquellen, die dazu beitrugen, das *Patrimonium Petri* zu einem frühmodernen Staatswesen mit prachtvoller Hofhaltung, modernem Kriegswesen, umfänglichem Klientelsystem und strafferer Finanzverwaltung auszubauen.

Luther traf mit seiner fundamentalen Kritik am Ablasswesen den Nerv der Missstände. Er verfolgte allerdings damit kein politisches, sondern ein seelsorgerisches Anliegen. Aber aus seiner radikal einfachen reformatorischen Lehre ergaben sich unabsehbare politische Konsequenzen. Wenn der Mensch allein durch seinen Glauben, die göttliche Gnade und die Heilige Schrift zum Seelenheil gelangte, dann entfielen alle Mittlerinstanzen zwischen dem Individuum und Gott, und der Macht der Kirche als Heilsvermittlungsanstalt wurde der Boden entzogen. Folgenträchtig für die Reichsverfassung war vor allem die Lehre, dass geistliche und weltliche Ordnung, innerer und äußerer Mensch, Gerichtshof des Gewissens und Gerichtshof der Obrigkeit zweierlei seien. Daraus folgte, dass Luther der Kirche keinerlei weltliche Macht zubilligte, weder dem Papst noch den Kirchenfürsten im Reich. Die Reichsverfassung war hingegen durch eine überaus enge Verflechtung geistlicher und weltlicher Gewalten gekennzeichnet (S. 29 f.). Nahm man die lutherische Lehre ernst, so stellte sich die Frage, wer an Stelle der kirchlichen Instanzen alle die Herrschaftsrechte ausüben und die Funktionen ausüben sollte, die er der Kirche absprach.

Die Lehre Luthers fiel bekanntlich auf äußerst fruchtbaren Boden, und die «evangelische Bewegung» breitete sich in Stadt- und Landgemeinden durch Predigten und Flugschriften in nie da gewesener Geschwindigkeit aus. Ihre politischen Konsequenzen für das Reich waren aber nicht von vornherein absehbar.

Der Papst hatte Luther zu Beginn des Jahres 1521 als Ketzer verurteilt und den Kirchenbann über ihn verhängt und erwartete nun, dass dem die Reichsacht folgte. Da die Reformforderungen, die Luther in der Adelsschrift formuliert hatte, von vielen Reichsständen als willkommenes nationalkirchliches Programm verstanden wurden, brachten einige von ihnen die «Luthersache» in demselben Jahr auf den ersten Reichstag Karls V. in Worms. Die Religionsfrage erschien allerdings zu diesem Zeitpunkt bei weitem nicht als das wichtigste Thema dieses Reichstages, auf dem zahlreiche zentrale Fragen der Reichsverfassung – etwa die Einrichtung eines neuen ständigen Reichsregiments oder einer neuen Matrikel für die Reichssteuern – zur Debatte standen.

Karl V. war bereit, über Luther die Reichsacht zu verhängen, nicht zuletzt um den Papst damit im Kampf gegen Frankreich auf seine Seite zu ziehen. Die Mehrheit der anwesenden Reichsstände akzeptierte ein solches eigenmächtiges Vorgehen des Kaisers indes nicht und setzte eine persönliche Anhörung Luthers durch, was diesem zu den später legendär gewordenen Auftritten am 17. und 18. April 1521 verhalf, wo er vor dem Kaiser, seinem Hofstaat und den Reichsfürsten die Zurücknahme seiner Lehre verweigerte.

Alle Vermittlungsbemühungen scheiterten. Karl V. begründete die Reichsacht in einem selbst verfassten Schreiben gegenüber den Reichsständen mit seiner Verpflichtung zum Schutz der römischen Kirche und des katholischen Glaubens. Er argumentierte dabei ganz im Sinne der hergebrachten traditionalen Rechtsordnung: Was seine Vorgänger über die Jahrhunderte geschützt und bewahrt hätten, könne ein Einzelner nicht umstoßen. Die Pflicht der Reichsstände sei es, mit ihm gemeinsam gegen den notorischen Häretiker Luther vorzugehen. Am 30. April 1521 stimmte tatsächlich die Mehrheit der noch anwesenden Reichsstände der Acht gegen Luther zu. Im «Wormser Edikt» vom 8. Mai verbot der Kaiser allen Reichsmitgliedern bei Strafe der Reichsacht und des Verlusts aller Rechte jeden Kontakt mit Luther sowie jedes Lesen oder Verbreiten seiner Schriften. Zum Kirchenbann war damit die Reichsacht hinzugetreten, die bis zu Luthers Tod fortbestand und seine Bewegungsfreiheit erheblich beeinträchtigte, die weitere Ausbreitung seiner Lehre aber nicht verhindern konnte.

Es erwies sich im Laufe der 1520er Jahre, dass der Kaiser die Durchführung des Wormser Edikts gegen den Willen der luther-freundlichen Reichsstände nicht erzwingen konnte. Er hielt sich von 1521 bis 1530 gar nicht im deutschen Raum auf, sondern ließ sich von seinem Bruder Ferdinand und dem Reichsregiment vertreten und verfolgte seine dynastisch-machtpolitischen Interessen gegen den französischen König Franz I., von 1526 bis 1529 auch gegen den Papst, den er besiegte und von dem er sich anschließend zum Kaiser krönen ließ. Die Reichsstände plädierten unterdessen immer wieder für ein nationales Konzil zur Reform der Kirche, wollten also die Religionsfrage in die eigene Hand nehmen. Der Kaiser lehnte das ab, stellte vielmehr ein allgemeines Konzil in Aussicht und versuchte einstweilen aus der Ferne immer wieder die Befolgung des Wormser Edikts einzuschärfen. Allmählich bildeten sich unter den Reichsständen gewisse Fronten heraus: das Haus Habsburg, die Herzöge von Bayern, Herzog Georg von Sachsen, Kurfürst Joachim von Brandenburg und die geistlichen Fürsten auf der einen Seite, einzelne klar reformatorisch gesinnte oder zumindest abwartende Landesherren wie Landgraf Philipp von Hessen, der Deutschordensmeister Albrecht von Brandenburg und der Kurfürst von Sachsen auf der anderen Seite. Die Fronten verliefen dabei häufig quer durch die großen Dynastien. Schon seit Mitte der 1520er Jahre formierten sich erste Ansätze zu den späteren konfessionell orientierten politischen Bündnissen, wie sie für die Verhältnisse im Reich das ganze Jahrhundert bis in den Dreißigjährigen Krieg hinein kennzeichnend sein sollten.

Auf dem Reichstag in Speyer 1526 setzten die reformatorisch gesinnten Stände als Preis für ihre Steuerbewilligung die Kompromissformel durch, dass jeder Reichsstand in seinen Ländern das Wormser Edikt so handhaben werde, wie er es vor Gott und dem Kaiser verantworten könne – d. h., da in der Sache selbst keine Einigung zu erzielen war, einigte man sich darauf, dass die Reichsstände die Verantwortung für die Religionsfrage in ihrem jeweiligen Territorium selbst übernahmen. Das entsprach der schon vorreformatorischen Tendenz zur Etablierung eines landesfürstlichen Kirchenregiments und legte den Keim zu ihrem *ius reformandi*. Dem Statthalter Ferdinand blieb nichts anderes übrig, als das zu akzeptieren, weil er auf die Stände angewiesen und eine Exekution des kaiserlichen Edikts ohne ihre Mitwirkung ohnehin unmöglich war. Damit war das Muster für die folgenden Verhandlungen vorgegeben. Auf dem Reichstag in Speyer 1529, der wiederum wegen der Türkengefahr einberufen wurde und in feindseligem Klima stattfand (Philipp von Hessen war in Mainz und Würzburg eingefallen, um einer vermeintlichen anti-evangelischen Verschwörung zuvorzukommen), sollten die Reichsstände endlich zu eindeutigen Beschlüssen gegen die weitere Ausbreitung der Reformation veranlasst werden. Die Proposition des Statthalters Ferdinand fand dort eine Mehrheit von Altgläubigen, gegen die die reformatorisch gesinnten Stände sich mit einer feierlichen «Protestation» zur Wehr setzten: Kurfürst Johann von Sachsen, Landgraf Philipp von Hessen, Markgraf Georg von Brandenburg-Ansbach, Herzog Ernst von Braunschweig-Lüneburg, Fürst Wolfgang von Anhalt und vierzehn Reichsstädte, darunter so bedeutende wie Straßburg, Nürnberg und Ulm. Bei der Protestation, die den «Protestanten» später den Namen gab, handelte es sich um ein reichsrechtlich übliches Mittel, die Verbindlichkeit einer Entscheidung förmlich zu bestreiten. In diesem Fall berief sich die Minderheit darauf, dass in Gewissensfragen grundsätzlich eine Überstimmung durch die Mehrheit nicht statthaft sei, und stellte damit die Beschlussfähigkeit des Reichstags generell in Frage. Die Mehrheitsentscheidung wurde dennoch in den Reichsabschied aufgenommen; die protestierenden Stände appellierten dagegen in Italien an den Kaiser und wurden abgewiesen.

Auf dem Reichstag von Augsburg 1530 war Karl V. schließlich erstmals seit 1521 wieder in Person anwesend und erbot sich, die gegensätzlichen theologischen Positionen anzuhören. Kurzfristig formulierten die lutherischen Theologen unter Federführung Philipp Melanchthons ein Glaubensbekenntnis, die *Confessio Augustana*, und legten sie dem Kaiser vor. Diese

Bekenntnisschrift spielte in der Folgezeit eine zentrale Rolle, weil sie die Definitionsgrundlage für die späteren reichsrechtlichen Kompromisse bildete. Vier oberdeutsche Reichsstädte formulierten ihrerseits eine abweichende Bekenntnisschrift, die *Confessio Tetrapolitana*, Ulrich Zwingli seine *Ratio fidei*. Karl V. ließ in einer *Confutatio* dagegen Stellung nehmen. Trotz manchen Entgegenkommens beider Seiten kam es nicht zum Kompromiss. Die Reichstagsmehrheit bewilligte nicht nur eine erneute Steuer, sondern bestätigte auch das Wormser Edikt. Als Reaktion darauf schlossen sich 1531 zahlreiche protestantische Fürsten und Städte zum Schmalkaldischen Bund zusammen, einem Bündnis zur Verteidigung «des Wortes Gottes in der Welt» und als legitime Gegenwehr gegen einen Kaiser, der gegen seine Wahlkapitulation verstoßen habe – eine Position, die später auch Luther selbst unterstützte.

In der Zwischenzeit war die soziale und politische Tragweite der reformatorischen Lehre deutlich geworden. In vielen städtischen und ländlichen Gemeinden war es in den 1520er Jahren durch das Wirken der neuen Massenmedien und reformatorisch gesonnener Prediger zu antiklerikalen Tumulten, Ausschreitungen gegen Messopfer, sakrale Bilder und Gegenstände, zu Eheschließungen von Priestern, Klosteraustritten etc. gekommen. Man forderte die reine Lehre des Evangeliums, freie Pfarrerwahl, Feier des Abendmahls in beiderlei Gestalt, eigene Verfügung über das Gemeindevermögen und so fort. Die reformatorische Bewegung vervielfältigte sich, spaltete sich zunehmend in verschiedene Richtungen und verband sich mit ganz anderen sozialen, wirtschaftlichen und politischen Interessen unterschiedlichen Ursprungs. So verbündeten sich einige Reichsritter unter der Führung des Franz von Sickingen 1522 gegen ihren Nachbarn, den Kurfürsten von Trier, und beriefen sich dabei auf das Evangelium. Die Verschmelzung reformatorischer mit allgemeinen wirtschaftlichen und sozialen Forderungen der bäuerlichen Gemeinden führte 1524–25 zum «Bauernkrieg», einer Serie von Aufständen, denen gerade die gemeinsame Berufung auf das Evangelium eine größere Geschlossenheit und klarere Programmatik verlieh, als sie frühere Bauernaufstände besessen hatten.

Die Bauerntruppen schlossen sich überregional zusammen, bildeten bündische Organisationsstrukturen und gewannen teilweise die Unterstützung von Bergleuten und Stadtgemeinden. Fürsten und Kaiser, die damit ein gemeinsames Interesse verfolgten und von Luther darin bestärkt wurden, schlugen die Bauern vernichtend mit Hilfe des Schwäbischen Bundes, eines seit 1488 bestehenden ständeübergreifenden militärischen Exekutivbündnisses unter habsburgischer Führung. In zahlreichen Stadtgemeinden, vor allem in den Reichsstädten, verband sich die evangelische Bewegung mit zunftbürgerlichen Forderungen nach mehr Partizipation gegenüber den oligarchischen Ratsregierungen. Es schien so, als sei die reformatorische Bewegung in erster Linie eine Sache des «gemeinen Mannes».

Bereits in den 1520er Jahren begannen sich aber auch schon einzelne Obrigkeiten der Sache zuzuwenden. In den meisten Reichsstädten und in vielen halbautonomen Landstädten nahm nach mehr oder weniger heftigen Auseinandersetzungen in der Bürgerschaft der Rat die Reformation selbst in die Hand, nachdem klar geworden war, dass dies der kommunalen Einheit und Autonomie sehr zugute kam. Nach dem Vorbild Zwinglis in Zürich wurde die Predigt des «reinen Evangeliums» eingeführt, die altgläubigen Messen abgeschafft, die Klöster geschlossen, die Kirchenvermögen eingezogen, die Sonderrechte der Kleriker aufgehoben, Armenfürsorge und Schulwesen in städtische Regie übernommen und Kirchen-, Ehe- und Sittenordnungen erlassen.

Aus ähnlichen Gründen schickten sich seit Mitte der 1520er Jahre auch einige Landesherren an, die Reformation in ihrem Territorium obrigkeitlich einzuführen und institutionell abzusichern – zuerst der Deutschordensmeister Albrecht von Brandenburg in Preußen 1525. Manche Fürsten erkannten früh, welche Möglichkeiten sich ihnen dadurch boten, ihre Herrschaft auf Kosten der Kirche und ihres Vermögens auszudehnen – durch Auflösung von Klöstern und Stiften, Mediatisierung und Säkularisierung von Bistümern, Übernahme ehemals kirchlicher Rechtsbereiche in die eigene Hand usw. Begründet wurde dies von den Landesherren damit, dass sie als Notbischöfe das Vakuum ausfüllen mussten, das die Lösung von der Papstkirche herbeigeführt hatte. All das führte zum Aufbau von Organisations- und Kontrollinstrumenten – zentrale Kirchenbehörden, Kirchenordnungen, Visitationen etc. –, die den Landesherren einen intensiveren Zugriff auf die einzelnen Untertanen ermöglichten (S. 65).

Schon früh waren innerhalb des reformatorischen Lagers deutliche Gegensätze aufgebrochen zwischen der lutherischen und der oberdeutsch-zwinglianischen Richtung, der die meisten Reichsstädte anhingen und die vor allem durch eine andere Abendmahlslehre und ein anderes Kirchenverständnis gekennzeichnet war. Einig waren sich städtische und territoriale, altgläubige und evangelische Obrigkeiten allerdings in der Bekämpfung der radikal spiritualistischen, täuferischen Strömungen, die sich angesichts der unmittelbar bevorstehenden Wiederkehr Christi der weltlichen Ordnung entweder völlig entzogen oder ihr Ende zu beschleunigen suchten. Gegen sie verordnete der Reichstag von Speyer 1529 die Todesstrafe.

Auch in den 1530er und 40er Jahren kam die gemeinsame Politik auf Reichstagen trotz des Religionskonflikts keineswegs zum Erliegen. Es wurden weiterhin Reichshilfen auch von den Protestanten gewährt, Reichsschlüsse vereinbart und wichtige Reichsgesetze verabschiedet. Solange Karl V. durch die machtpolitischen Konflikte mit Frankreich und den Türken abgelenkt war, musste er die Lösung der Religionsfrage aufschieben. Die Prozesse, die gegen die Protestanten vor dem Reichskammergericht anhängig waren, wurden ebenso wie das Wormser Edikt immer wieder suspendiert, so im «Nürnberger Anstand» 1532 und im «Frankfurter Anstand» 1539. Zugleich hoffte man immer noch auf eine theologische Beilegung der Glaubensspaltung und führte Religionsgespräche, die alle scheiterten.

Das Blatt wendete sich im Sommer 1546, als Friedensschlüsse und Bündnisverträge dem Kaiser den Rücken frei machten für die gewaltsame Entscheidung der Religionsfrage. Sein militärisches Vorgehen gegen die Protestanten gab der Kaiser als Exekution der Reichsacht gegen die beiden Führer des Schmalkaldener Bundes, Philipp von Hessen und Johann Friedrich von Sachsen, aus. Im Schmalkaldischen Krieg (1546–1547) unterlagen die Protestanten am Ende auf der ganzen Linie. Karl V. siegte auch deshalb, weil der protestantische Herzog Moritz von Sachsen das Lager wechselte, wofür der Kaiser ihm die Kurwürde seines Vetters übertrug. Beide Führer des Schmalkaldener Bundes wurden gefangen genommen; der Kaiser war auf dem Höhepunkt seiner Macht und zwang alle am Krieg beteiligten Fürsten und Städte einzeln zu rituellen Unterwerfungsakten vor seinem Thron. Den oberdeutschen Städten, deren Handwerkszünfte er für die wichtigsten Triebkräfte der evangelischen Bewegung hielt, zwang er neue, patrizisch dominierte Ratsverfassungen auf.

Auf dem Reichstag in Augsburg 1548 schickte er sich an, zwei miteinander verbundene grundlegende Ziele zu verwirklichen: zum einen die Protestanten in die (allerdings zu reformierende) alte Kirche wieder einzugliedern und zum anderen die reichsständische Macht und Libertät zu brechen und eine zentralistisch gestärkte kaiserliche Gewalt über das Reich zu etablieren.

Das erste Ziel sollte mittels des «Augsburger Interim» erreicht werden (von lat. *interim*, «inzwischen»): eine unter kaiserlicher Regie ausgearbeitete Rahmenordnung zur provisorischen Überbrückung der Glaubensspaltung im Reich bis zur endgültigen Entscheidung durch das allgemeine Konzil, das unterdessen 1545 in Trient zu tagen begonnen hatte. Das Interim zwang die Protestanten im Wesentlichen, zum alten Glauben und zur alten Praxis zurückzukehren und die der Kirche genommenen Güter zurückzugeben; dafür wurden als wichtigste Zugeständnisse Laienkelch und Priesterehe erlaubt. Mit dem Interim, das von der altgläubigen Reichstagsmehrheit beschlossen wurde, aber nur für die Protestanten gelten sollte, erhob der Kaiser den bemerkenswerten Anspruch, über den Glauben im Reich zu verfügen – ein Anspruch, der weit über seine mittelalterliche Rolle als Schutzvogt der Christenheit hinausging.

Das zweite Ziel sollte mittels einer verfassungspolitischen Neuerung realisiert werden. Der Kaiser plante einen Bund mit den einzelnen Reichsständen, der, wäre er realisiert worden, den Reichstag unterlaufen und seine Funktionen ausgehöhlt hätte. Die Mitglieder des Bundes sollten beständig Kriegsvolk für den

Kaiser unterhalten und ihm eine permanente Steuer leisten. Die Bundesversammlung sollte nicht nach Kurien gegliedert sein, sondern auch Ritter und möglicherweise sogar landsässigen Adel umfassen. Die geplante Gleichheit der Stimmen von Großen, Kleinen und Kleinsten, ja sogar von landesfürstlichen Untertanen hätte eine völlige Verlagerung der Gewichte im ganzen Reichsverband bedeutet; so hätten etwa die Kurfürsten nur noch sieben Stimmen unter Hunderten gehabt. Der Kaiser wäre zur Spitze eines ständisch weitgehend nivellierten Reichsverbandes geworden und hätte die Bundesversammlung als zentrales Instrument seiner Politik nutzen können. Wie zu erwarten, scheiterten diese geradezu revolutionären Bundespläne am Widerstand insbesondere der Kurfürsten; sie wurden verschleppt und verliefen schließlich im Sande. Aber auch die Durchführung des Interims erwies sich als schwierig; erste Ansätze dazu, etwa in Württemberg, blieben bald stecken. Es zeigte sich, dass die konfessionelle Entwicklung nicht rückgängig zu machen war; die «Libertät» der Reichsfürsten, ihr politisches Eigengewicht als Landesherren war zu stark, um diese Pläne gegen ihren Widerstand durchzusetzen. Damit zeichnete sich die Notwendigkeit eines konfessionellen Nebeneinanders im Rahmen der Reichsverfassung ab.

Zum völligen Umschlag der Lage kam es im so genannten Fürstenaufstand 1552. Nach erneutem Seitenwechsel Moritz' von Sachsen formierte sich ein breites antikaiserliches Bündnis der protestantischen Fürsten mit dem König von Frankreich (der in seinem eigenen Land die Protestanten blutig verfolgen ließ), dem man dafür die Reichsbistümer Metz, Toul und Verdun versprach. Karl V. war ohne Mittel und Verbündete zum Rückzug in die Niederlande gezwungen. Es kam zu einer vorläufigen Einigung der Aufständischen mit seinem Bruder Ferdinand im Passauer Vertrag von 1552, einem Kompromiss, gegen den sich Karl bis zuletzt wehrte, der aber den Weg zum Augsburger Religionsfrieden von 1555 bahnte. Im so genannten Markgräflerkrieg unterstützte der Kaiser einen notorischen Landfriedensbrecher und setzte sich damit vor aller Augen ins Unrecht. 1556 zog er sich nach Spanien zurück und dankte ab.

Drei Jahrzehnte nach dem Beginn der evangelischen Bewegung hatte sich gezeigt, dass die Spaltung der Kirche und ihre politischen Folgen auf absehbare Zeit nicht rückgängig zu machen waren: weder militärisch, noch theologisch durch Religionsgespräche oder ein Konzil, noch juristisch durch Prozesse vor dem Reichskammergericht. Auf dem Augsburger Reichstag von 1555 wurden daraus die Konsequenzen gezogen. Der Epoche machende Kompromiss, den die Reichsstände und Ferdinand als Vertreter des Kaisers, aber ohne dessen Zustimmung dort aushandelten, wurde möglich, weil man die theologische Wahrheitsfrage ausklammerte und stattdessen einen rechtlichen Modus fand, der die Koexistenz der Konfessionsparteien erlaubte, ohne den Reichsverband zu sprengen.

Die wichtigste Regelung bestand in einem Frieden zwischen den beiden Konfessionsparteien, d. h. den katholischen Reichsständen und denjenigen, die sich zur Augsburgischen Konfession von 1530 bekannten. Kein Reichsstand durfte den anderen oder dessen Untertanen wegen des Glaubens in irgendeiner Weise unterdrücken oder bekriegen. Die bis 1552 (d. h. bis zum Passauer Vertrag) vollzogenen Säkularisierungen von Kirchengütern durch protestantische Landesherren und Städte wurden akzeptiert, d. h. die Verstöße gegen das Reichs- und Kirchenrecht nachträglich legalisiert. Die geistliche Gerichtsbarkeit gegenüber den Protestanten, die ja nach kanonischem Recht nach wie vor als Ketzer galten, wurde ausgesetzt.

Damit verbunden war ein allgemeiner Landfriede. Zur Gewährleistung des rechtlichen Konfliktaustrags wurde das Reichskammergericht reformiert und auch evangelischen Assessoren geöffnet. In einer neuen Exekutionsordnung wurde die Handhabung des Landfriedens den Reichskreisen anvertraut. Es wurde eine Stufenfolge von Sanktionsinstanzen gegen Landfriedensbrecher vorgeschrieben, beginnend beim einzelnen Landesherrn über den betroffenen Kreis und die Einbeziehung der Nachbarkreise bis hin zu einem «Reichsdeputationstag», d. h. einer Art Ausschuss des Gesamt-Reichstags ohne den Kaiser. Erst wenn sich auf allen diesen Stufen ein Konflikt nicht lösen ließ, sollte der Reichstag selbst damit befasst werden. Damit wurden die Friedenswahrung und der Einsatz legitimer Gewalt fast völlig vom Kaiser gelöst.

Die zweite wesentliche Regelung des Religionsfriedens bestand darin, dass den Landesherren das Reformationsrecht (*ius reformandi*) in ihren Territorien zugestanden wurde. Später brachten die Juristen das auf die Formel «*cuius regio eius religio*». Sie konnten also über die religiöse Glaubenswahrheit befinden und ihre Untertanen zu einer Konfession zwingen. Vertragschließende Rechtssubjekte des Religionsfriedens (wie jedes Reichsgrundgesetzes) waren eben die Reichsstände, nicht die einzelnen Untertanen. Für sie galt die religiöse Duldung, wie sie sich die Reichsstände wechselseitig zugestanden, gerade nicht. Allerdings – einen ersten Ansatz zu individueller Gewissensfreiheit stellte die Regelung dar, dass die Reichsstände ihren andersgläubigen Untertanen gestatten mussten auszuwandern. Reichsstädte, in denen beide Konfessionen in Gebrauch waren, wurden in ihrem bikonfessionellen Status geschützt, wovon eher die katholischen Minderheiten dort profitierten. Fast alle Reichsstädte waren ja im Zuge der evangelischen Bewegung protestantisch geworden. Der Kaiser hatte mit dem Interim begonnen, diesen Zustand rückgängig zu machen, und die katholische Kirche dort wieder teilweise restituiert. Dieser Zustand wurde nun geschützt.

Der Augsburger Religionsfriede kam zustande, weil alle Beteiligten des Konflikts müde waren und vor allem den Frieden wollten. Dabei nahmen sie in Kauf, dass eine ganze Reihe von Problemen offen blieb und nur durch notdürftige Formelkompromisse verschleiert wurde. Der versteckte Dissens, die Unklarheiten und Widersprüche brachen später wieder auf; an ihnen kristallisierten sich schon bald grundsätzliche Konflikte. Das galt vor allem für den «Geistlichen Vorbehalt» (*reservatum ecclesiasticum*), der eine gravierende Ausnahme vom Prinzip der territorialen Konfessionshoheit darstellte. Wenn ein geistlicher Fürst von der alten Religion abfiel, sollte er sein Amt, seine Herrschaft und seine Güter verlieren, und es sollte ein Altgläubiger zum Nachfolger gewählt werden. Man nahm damit die geistlichen Fürsten vom *ius reformandi* aus, um zu verhindern, dass Kurfürsten- und Fürstenkurie mehrheitlich protestantisch wurden. Diese Bestimmung wurde von Ferdinand einseitig aus kaiserlicher Vollmacht in den Vertrag aufgenommen und von den Protestanten ausdrücklich abgelehnt. Die Aufnahme des Artikels in den Reichsabschied tolerierten sie schließlich nur, weil Ferdinand ihnen außerhalb des Vertrages das Zugeständnis machte, dass der landsässige Adel und die Städte in den geistlichen Fürstentümern beim evangelischen Bekenntnis bleiben durften. Fraglich war, wie man diese «*Declaratio Ferdinandea*» zukünftig überhaupt würde geltend machen können. Ein zentraler Widerspruch bestand vor allem darin, dass die Landesherren einerseits das Reformationsrecht zugestanden bekommen hatten, andererseits aber nur die Säkularisierungen vor dem Passauer Vertrag legalisiert worden waren, was den Konfessionsstand von 1552 konserviert hätte. Völlig unklar war, inwiefern die zukünftige Aneignung von Kirchengütern rechtmäßig sei oder nicht. Unklar war ferner, ob auch den Räten der Reichsstädte ein Reformationsrecht zukam. Offen blieb auch die Frage, wer genau zur Augsburgischen Konfession gehörte und den Schutz des Religionsfriedens genoss – zunehmend war ja die protestantische Seite zwischen Lutheranern und Reformierten gespalten – und wer im Streitfall über die Zugehörigkeit zu entscheiden hatte. Schließlich enthielt der Vertrag widersprüchliche Formulierungen darüber, ob er als ewig und nur als vorläufig, nämlich «bis zur endlichen Vergleichung» der Glaubensfrage, zu gelten habe. Die Konfessionsparteien legten dies verschieden aus: Die Protestanten hielten den Vertrag für ein allgemeines, unumstößliches Reichsgrundgesetz, das beide Konfessionen für alle Zukunft vollkommen gleichstellte; die Katholiken hingegen sahen darin eher eine vorübergehende Übergangs- und Ausnahmeregelung von dem ansonsten grundsätzlich weiterhin geltenden Kirchenrecht – und behielten sich damit die Option vor, unter Umständen wieder davon abzurücken.

Der Augsburger Religionsfriede war ein verfassungsgeschichtlicher Meilenstein. Auch wenn er die Konfessionsproblematik nicht dauerhaft beilegte, so verhinderte er doch, dass die Glaubensspaltung die ganze Reichsordnung mit sich riss. Er verrechtlichte und formalisierte das konfessionelle Nebeneinander, während er die theologische Wahrheitsfrage unentschieden ließ. Das bedeutete einen Bruch mit dem mittelalterlichen Verständnis einer göttlich begründeten Ordnung, die nur als harmonische und unauflösliche Einheit von weltlichem und geistlichem Recht vorstellbar war – zumal das menschliche Recht ja seine Legitimität auf die Übereinstimmung mit dem göttlichen Recht gründete. Das Reichsrecht schützte nun – aus altgläubiger Sicht – die Ketzer, die gegen göttliches Recht verstießen. Der Augsburger Religionsfrieden ließ, indem er zwei konkurrierende religiöse Wahrheitsansprüche zur dauerhaften Koexistenz nötigte, erstmals religiöse und politische Ordnung auseinander treten – ein Vorgang von ungeheurer und zunächst kaum erfasster Tragweite, der allerdings nur auf der übergeordneten Ebene des Reichsverbands galt. Auf der Ebene der einzelnen Länder eröffnete der Frieden umgekehrt nun erst recht die Möglichkeit, weltliche und geistliche Gewalt in der Hand der Landesherren zu vereinen.

V. Von der Konsolidierung zur Krise der Reichsinstitutionen (1555–1618)

Die Zeit nach 1555 war eine Phase weitgehend friedlicher Koexistenz der Konfessionen im Reich. Unter den kompromissbereiten und konsensorientierten Kaisern Ferdinand I. (1558–64) und Maximilian II. (1564–76), der selbst mit dem Protestantismus sympathisierte, funktionierten die Reichsinstitutionen so gut wie vorher und nachher nicht. Vor allem die Kurfürsten – mit Ausnahme der Kurpfalz – kooperierten über die Konfessionsgrenzen hinweg eng miteinander und mit dem Kaiser. Einheitsstiftend wirkte besonders die Türkenabwehr. Seit 1547 zahlten die Habsburger dem osmanischen Sultan hohe Tribute.

Auch Waffenstillstände beseitigten die stets latente Bedrohung nicht grundsätzlich. Die Angst vor dem «Erbfeind der Christenheit», die in massenhaft verbreiteten Flugblättern geschürt wurde, veranlasste die Reichsstände immer wieder zur Bewilligung und auch zur weitgehenden Zahlung hoher Reichshilfen. Erst 1606 beseitigte der Friedensschluss von Zitvatorok mit den Türken vorübergehend den Druck auf die Stände, sich immer wieder konfessionsübergreifend zu einigen.

Die Kreisorganisation erwies sich als effizient bei der Bekämpfung regionaler Verstöße gegen den Landfrieden. Als in den 1560er Jahren der Ritter Wilhelm von Grumbach mit Unterstützung Herzog Johann Friedrichs II. von Sachsen eine Fehde führte, die im niederen Adel Rückhalt zu finden drohte, bekämpften ihn die betroffenen Kreise erfolgreich nach den Verfahrensregeln der Exekutionsordnung von 1555. Worin allerdings jetzt und auch zukünftig die Grenze der militärischen Handlungsfähigkeit des Reiches lag, zeigte sich 1570, als der habsburgische Feldherr Lazarus von Schwendi dem Reichstag den Plan zu einem stehenden Reichsheer unter kaiserlichem Oberbefehl vorlegte. Dieser Reformplan, der das Reich zu einer expansiven Machtpolitik befähigen sollte, scheiterte am geschlossenen Widerstand der Stände. Die Landesherren, auch und gerade die protestantischen, standen der Reichsverfassung in dem Maße loyal gegenüber, wie sie ihrer zum Rückhalt des eigenen Landesausbaus bedurften.

Unter dem Schutz des Religionsfriedens schritt nämlich der Prozess der Konfessionalisierung in den einzelnen Territorien voran. Aus der Glaubensspaltung waren allmählich nach langwierigen Abgrenzungskonflikten im Laufe des 16. Jahrhunderts drei voneinander getrennte Konfessionskirchen hervorgegangen, die sich durch schriftlich fixierte Glaubensbekenntnisse definierten: das Luthertum mit der *Confessio Augustana* von 1530 und der Konkordienformel von 1577; die reformierte Konfession calvinistischer Prägung mit dem Heidelberger Katechismus von 1563 als Vorbild für andere reformierte Landeskirchen; die *Professio fidei Tridentina* von 1563 für die katholische Kirche. Im Konzil von Trient, das mit zwei langen Unterbrechungen von

1545 bis 1563 tagte, holte die römische Kirche die Reformen nach, die sie zuvor versäumt hatte. Die Vorstellung Karls V. und mancher Reichsstände, das Konzil könne die Glaubenseinheit wieder herstellen, erwies sich bald als Illusion; die Zeichen standen vielmehr auf eindeutiger Abgrenzung und Verdammung der protestantischen «Ketzerei». Die Herausforderung durch den Protestantismus veranlasste die alte Kirche aber zu einer neuen Definition ihrer eigenen Glaubenslehren und zur Modernisierung ihrer Institutionen. Sie holte darin vielfach nach, was die protestantischen Fürsten in ihren Ländern vorgemacht hatten. Dabei stützte sie sich in der Folgezeit vor allem auf neu gegründete Orden, insbesondere die Societas Jesu (Jesuiten).

Der langwierige Prozess der Herausbildung klar voneinander unterschiedener Konfessionsgruppen mit entsprechend ausgeprägtem Abgrenzungsbedürfnis leistete zugleich dem Prozess der Staatsbildung in den einzelnen Territorien Vorschub und löste parallele Modernisierungsvorgänge auf protestantischer und katholischer Seite gleichermaßen aus. Die Religionsspaltung bot den Landesherren die Möglichkeit, das Kirchenwesen in ihre Hand zu bekommen (S. 56 f.). Das galt mit Einschränkungen auch für die katholischen Landesherren. Über die Durchsetzung und Kontrolle der jeweiligen Glaubenslehre und Glaubenspraxis erreichte ihre Herrschaft zunehmend alle Untertanen – oder sollte es zumindest. Jedenfalls wurde viel intensiver als zuvor angestrebt, den Glauben und das Verhalten der Untertanen in allen Bereichen des Alltagslebens zu reglementieren und zu kontrollieren. Dazu wurde die Kirche in das landesherrliche Behördensystem integriert, Kirchen-, Sitten-, Ehe- und Policeyordnungen erlassen, flächendeckende Visitationen der Pfarreien vorgenommen; es wurden Schulen und Universitäten gegründet, um Juristen und Theologen als konfessionell zuverlässiges Personal auszubilden, usw. Die Herrschaft in den Reichsstädten und Territorien wurde als Sorge um das Seelenheil der Untertanen und Dienst an der Ehre Gottes wirkungsvoll legitimiert.

Solange ein Patt zwischen den Religionsparteien herrschte, war beiden Seiten vor allem an einer friedlichen Regelung des Miteinanders gelegen. Sobald aber die eine Seite machtpolitisch eindeutig überlegen wurde und Aussichten bestanden, die eigene Position auf Kosten der Gegenseite zu verbessern, geriet die Augsburger Friedensregelung ins Wanken. Im letzten Drittel des 16. Jahrhunderts verschoben sich die konfessionellen Kräfteverhältnisse immer mehr zu Lasten der Protestanten. Im Verlauf des Trienter Konzils hatten sie die Hoffnung auf Wiedervereinigung der Glaubensparteien aufgeben müssen. Der jahrzehntelange Siegeszug der evangelischen Bewegung kam zum Stillstand; nun kehrte sich in den 1570er Jahren die Entwicklung um. Das Luthertum geriet aus zwei Gründen in die Defensive. Einerseits begannen viele altgläubige Landesherren, deren Untertanen und Landstände evangelisch geworden waren, mit einer offensiven Rekatholisierungspolitik. Andererseits nahm auch die konfessionelle Gegnerschaft innerhalb des Protestantismus selbst zu. Seit den 1560er Jahren traten nach dem Vorbild der Kurpfalz immer mehr Reichsstände zur calvinistisch-reformierten Lehre über und beanspruchten, der lutherischen «Reform der Lehre» nun konsequenterweise eine «Reform des Lebens» folgen zu lassen («Zweite Reformation»). Das Klima zwischen lutherischen und reformierten Theologen wurde teilweise feindseliger als das zwischen ihnen und den Katholiken. Wer versucht hatte, einen eigenen Mittelweg zwischen den beiden sich abzeichnenden Lagern einzunehmen, wie Jülich-Kleve oder Brandenburg, scheiterte; alle Zeichen standen auf Abgrenzung.

Der Konsens von 1555 stand wie gesagt von vornherein auf dem schwankenden Boden unsicherer Zugeständnisse und auslegungsbedürftiger Formulierungen (S. 61). Entgegen der *Declaratio Ferdinandea* betrieben eine Reihe von katholischen Landesherren seit den 1560er Jahren eine massive Rekatholisierungspolitik gegenüber ihren weitgehend evangelisch gewordenen Landständen, so in Bayern, Fulda, Würzburg, nicht zuletzt die Habsburger selbst in Innerösterreich und Tirol. Umgekehrt verstießen die Protestanten von vornherein gegen den Geistlichen Vorbehalt, der der Säkularisierung von geistlichen Reichsterritorien einen Riegel vorschieben sollte. In den traditionell kaiserfernen Gebieten in Norddeutschland wurden fast alle Bistümer trotzdem säkularisiert, die Hochstifte zuerst von «Administratoren», meist nachgeborenen Söhnen der Landesherren, verwaltet und über kurz oder lang in deren Territorium eingegliedert. Auch landsässige Kirchengüter wurden nach wie vor eingezogen. Von vornherein bestritten einige protestantische Landesherren, insbesondere Kurpfalz, auf Reichstagen die Einschränkungen des landesherrlichen Reformationsrechts in der so genannten «Freistellungsbewegung». Es ging dabei nicht nur um die Freistellung der Konfession der Fürstbischöfe und Prälaten selbst, sondern auch die der Stifts- und Domkapitulare. Umstritten war, ob auch sie ihre Ämter und Pfründen verloren, wenn sie zum evangelischen Glauben übertraten, d. h., ob der evangelische Adel die für ihn existenziell wertvollen wirtschaftlichen Versorgungsstellen der Kirche verlor oder nicht. Die Katholiken legten den Geistlichen Vorbehalt umgekehrt noch viel weiter aus und beanspruchten, dass er sich nicht nur auf geistliche Fürstentümer, sondern auch auf alle anderen, selbst landsässige geistliche Pfründen beziehe, die bei Konfessionswechsel ihrer Inhaber ebenfalls für diese verloren gehen sollten.

In den ersten Jahrzehnten nach 1555 wurden diese umstrittenen Fragen noch durch die Reichsinstitutionen kanalisiert. Das änderte sich in den 1580er Jahren unter der Regierung Kaiser Rudolfs II., als die Generation der kompromissbereiten Fürsten wie etwa August von Sachsen abtrat. Die langjährigen Streitfragen eskalierten nun in mehreren spektakulären, gewaltsam ausgetragenen Konflikten. Reichstage als Foren des Ausgleichs fanden jahrelang (zwischen 1582 und 1594) nicht statt. Zugleich verquickte sich die konfessionelle Auseinandersetzung im Reich zunehmend mit anderen europäischen Konflikten. Sowohl die reformierte als auch die katholische Seite im Reich hatten ausländische Verbündete: die Reformierten in den aufständischen Niederlanden und in Genf, die Katholiken in Spanien und in Rom. Angesichts der Konfessionskriege in den Niederlanden und in Frankreich fühlten sich die Protestanten europaweit bedroht. In dem Maße, wie nun die konfessionelle Solidarität auf protestantischer und katholischer Seite in den Vordergrund trat, rückte die standes- und reichspolitische Solidarität in den Hintergrund und wurde schließlich ganz aufgerieben.

Ein wesentlicher Auslöser dafür war, dass der Erzbischof von Köln, Gebhard Truchsess von Waldburg, 1582 zum neuen Glauben übertrat und sich anschickte, das Erzstift zu säkularisieren. Das hätte eine protestantische Mehrheit im Kurfürstenkolleg bedeutet und das habsburgische Kaisertum gefährdet, konnte aber 1589 schließlich mit militärischer Gewalt verhindert werden. Mit diesem «Kölner Krieg» verbunden war ein Konflikt um das Straßburger Domkapitel, das sich aus dem hohen Reichsadel rekrutierte und bereits mehrheitlich protestantisch geworden war. 1583 enthob der Papst vier protestantische Domherren, darunter auch den Kölner Kurfürsten, ihrer Pfründen. Dagegen unterstützte der ebenfalls protestantische Rat der Reichsstadt Straßburg die Domherren mit Waffengewalt. Das Kapitel spaltete sich, und als 1591 der Bischofsstuhl vakant wurde, wählte jede Seite einen Bischof ihrer Konfession. Beide stammten aus mächtigen Dynastien, nämlich aus dem mit Habsburg verschwägerten Lothringen und aus Brandenburg, was dem Kapitelstreit eine neue machtpolitische Dimension verlieh und auch den Kaiser direkt involvierte. Der protestantische Administrator musste 1604 schließlich aufgeben, so dass das Bistum Straßburg katholisch blieb. In der Folgezeit sorgte der Kaiser mit Unterstützung des Papstes dafür, dass auch die nordwestdeutschen Bistümer Lüttich, Münster, Paderborn, Osnabrück und Hildesheim mit katholischen Kandidaten besetzt wurden, vor allem aus der Familie der bayerischen Wittelsbacher. In Köln richtete der Papst eine ständige Nuntiatur ein. Auf diese Weise gelang es langfristig, die katholische Mehrheit im Reichstag zu konservieren.

Zu Konflikten kam es auch um das konfessionelle Zusammenleben in den Reichsstädten. Dass die Religion alles andere als Privatsache war, sondern den Alltag gerade in den Städten in jeder Hinsicht prägte, zeigt sich besonders eklatant am Streit um die Kalenderreform des Papstes Gregor XIII. (1582), die zwar auch von protestantischen Astronomen befürwortet worden war, aber von den Protestanten als päpstliches Machwerk und Gefährdung des Seelenheils abgelehnt wurde, so dass beide Konfessionsparteien bis zum Ende des 17. Jahrhunderts unterschiedliche Datierungen verwendeten. Im bikonfessionellen Augsburg kam es über diese Kalenderfrage zu erbitterten Auseinandersetzungen und Tumulten. Umstritten war vor allem, ob den reichsstädtischen Ratsobrigkeiten ebenso wie den Reichsfürsten ein Reformationsrecht zukomme. Diese Frage eskalierte in Aachen, wo der Rat das *ius reformandi* beanspruchte, was auf dem Reichstag 1582 zum Streit mit den katholischen Ständen führte. Der Aachener Rat weigerte sich, ein gegen ihn gerichtetes Reichshofratsurteil zu akzeptieren, woraufhin 1598 gegen ihn die Reichsacht verhängt und der konfessionelle Status von 1555 wiederhergestellt wurde, was eine völlige Rekatholisierung des Rates bedeutete. Besonders fatal wirkte sich schließlich der Streit um die Reichsstadt Donauwörth aus, wo die Protestanten zwar die überwältigende Mehrheit bildeten, 1555 aber konfessionelle Parität verankert worden war. Es kam zu Ausschreitungen gegen die katholische Minderheit, die sich ihre demonstrative öffentliche Prozession nicht nehmen lassen wollte. Der Bischof von Augsburg klagte vor dem Reichshofrat, und 1607 wurde die Acht über die Stadt verhängt. Gegen die Regeln der Kreisverfassung vertraute nun der Kaiser die Exekution dem Herzog Maximilian von Bayern an, obwohl dieser einem anderen Reichskreis angehörte. Maximilian führte die Exekution gegen den Protest der anderen Kreisstände mit äußerster Konsequenz durch; er besetzte die Stadt, zwang sie mit Gewalt zur katholischen Glaubenspraxis und bezog sie schließlich in seinen Herrschaftsbereich ein.

Widersprüchlich und zunehmend konfliktträchtig war der Religionsfrieden vor allem in der Frage, ob die Reichsstände berechtigt seien, das Kirchengut in ihren Territorien einzuziehen. Formal legalisiert worden waren nur die bis 1552 erfolgten Säkularisierungen. Andererseits konnten sich die Landesherren auf ihr *ius reformandi* berufen, wenn sie sich auch danach noch Kirchengut aneigneten. Gegen diese Praxis waren zahlreiche Prozesse beim Reichskammergericht anhängig gemacht worden. In vier Fällen entschied dieses nun in den 1590er Jahren in rascher Folge gegen die protestantischen Obrigkeiten und verurteilte sie zur Restitution des Kirchenguts («Vierklosterstreit»). Auch wenn diese Urteile nicht unbedingt verallgemeinerbar

waren – das Gericht war ja auch mit evangelischen Assessoren
besetzt –, vermittelten sie den Protestanten den Eindruck, als
würde nun die ganze Kirchengutsfrage von Grund auf neu gestellt, und verschärften deren allgemeines Bedrohungsgefühl.

Alle diese Konflikte kulminierten schließlich in einer schritt-
weisen Lähmung der Reichsorgane. Voraussetzung für deren
Funktionieren war ja, dass die Reichsstände sich über die Verfahrensregeln einig und bereit waren, sich den dort gefundenen
Entscheidungen zu unterwerfen. Das ging indes nur so lange
gut, wie die Entscheidungen grundsätzlich auf dem Wege des
Kompromisses und mit dem Ziel des Konsenses ausgehandelt
wurden; es funktionierte nicht mehr, wenn die eine Seite strukturell von der anderen dominiert wurde. Das war in dem Mo-
ment der Fall, als die katholische Mehrheit der Reichsstände
sich auf das Majoritätsprinzip zu berufen begann, anstatt sich
um konsensuale Lösungen zu bemühen, wie es die Protestanten
verlangten («Kompositionsprinzip»). Damit hatten die protestantischen Stände in allen Gremien das Nachsehen, weil sie
immer in der Minderheit waren. Auf diese Weise erfasste die
konfessionelle Polarisierung nach und nach alle Institutionen
und brachte ihre Arbeit zum Erliegen.

Auf dem Reichstag von 1594, der wegen des neu ausgebro-
chenen Türkenkrieges notwendig wurde, standen sich bereits
die beiden Lager mit ihren konfessionellen Maximalforderungen
gegenüber, bewilligten aber noch einmal gemeinsam die Türkenhilfe. Auf dem Reichstag von 1597/98 lehnte es eine Reihe
protestantischer Stände unter Führung der Kurpfalz erstmals
ab, sich in der Frage der Türkenhilfe der Mehrheit zu unterwerfen, wurde aber vom Reichskammergericht dazu verurteilt
und gab schließlich nach. Die Reichskammerjustiz war aber
inzwischen ebenfalls in ihrem Funktionieren gefährdet. Die
regelmäßig jährlich zusammentretende Visitationskommission,
die das Gericht zu kontrollieren und über Revisionen zu entscheiden hatte und die nach einem bestimmten Schlüssel von
den Reichsständen gestellt wurde, konnte nämlich nicht tagen,
weil 1588 eigentlich das Bistum Magdeburg an der Reihe gewesen wäre. Dort amtierte aber ein protestantischer Admini-

strator, der vom Kaiser nicht mit dem Stift belehnt und dem daher auch Sitz und Stimme auf dem Reichstag verwehrt worden waren. Um den Konflikt nicht eskalieren zu lassen, suspendierte der Kaiser die ganze Kommission. Dadurch blieben alle Revisionsverfahren auf unbestimmte Zeit liegen. Da gegen jedes Urteil potentiell Revision eingelegt werden konnte, bedeutete das, dass die Reichskammergerichtsjustiz insgesamt blockiert war. Die Entscheidung der Reichstagsmehrheit 1594, die Visitation ausnahmsweise einem Reichsdeputationstag zu übertragen, scheiterte gleichfalls, weil dort die Protestanten wiederum in der Minderheit waren und dessen Kompetenz deshalb wiederum bestritten. Als höchstes Reichsgericht blieb nur der kaiserliche Reichshofrat. Dort wurden in den 1580er und 90er Jahren zunehmend Urteile gefällt, die in den Augen der Protestanten konfessionell parteilich erschienen. Sie stellten sich daher auf den Standpunkt, in Religionssachen sei allein das paritätisch besetzte Reichskammergericht zuständig, und das auch nur da, wo der Religionsfriede feste und eindeutige Regeln aufgestellt habe. In allen Fragen, wo er Lücken aufweise, könne eine Lösung nur durch eine gütliche Vereinbarung beider Seiten getroffen werden.

Nachdem 1603 zum letzten Mal ein Reichstag die Türkenhilfe bewilligt hatte, wurde der nächste Reichstag in Regensburg 1608, der sich noch als Ort gütlichen Konfliktaustrags angeboten hätte, nun aufgrund der Unvereinbarkeit der Verfahrensstandpunkte ebenfalls gesprengt. Nach seinem extrem verlustreichen Friedensschluss mit dem Sultan 1606 erbat der Kaiser erneut eine Türkensteuer, um die Lage zu seinen Gunsten zu wenden. Die Protestanten verlangten im Gegenzug die Bestätigung des Augsburger Religionsfriedens. Erzherzog Ferdinand, der den Kaiser vertrat, war dazu nur bereit, wenn alle in der Zwischenzeit erfolgten Verstöße rückgängig gemacht würden. Das hätte die Restitution aller seit 1552 säkularisierten Kirchengüter bedeutet und war für die Protestanten nicht hinnehmbar. Wieder spitzte sich der Konflikt auf die Frage der Mehrheitsentscheidung zu, und die Protestanten verließen den Reichstag. Zu einem Abschied kam es nicht.

Stattdessen bildeten sich auf beiden Seiten konfessionelle Verteidigungsbünde. Wenige Tage nach dem geplatzten Reichstag gründete eine Reihe vorwiegend calvinistischer Reichsstände unter Führung der Kurpfalz zum Schutz ihrer Rechte die protestantische Union, einen Defensivbund auf zehn Jahre mit Bundesschatz und Bundesheer, der über den Pfälzer mit anderen protestantischen Mächten in Europa vernetzt war. Im Juni 1609 gründete Maximilian von Bayern mit den geistlichen Kurfürsten und einer großen Zahl weiterer geistlicher Reichsstände, aber ohne Habsburg im Gegenzug die katholische Liga, ebenfalls ein Defensivbund mit eigenen Finanzen und eigenem Heer zur «Wahrung von Friede und Recht» und zur Exekution von Reichsschlüssen, der sich auf päpstliche Subsidien stützen konnte. Als Reaktion darauf traten zahlreiche weitere protestantische Städte und Fürsten ihrerseits der Union bei; die konfessionelle Polarisierung spitzte sich zu. Als beide Konfessionsparteien 1613 wieder mit ihren alten Forderungskatalogen auf den Reichstag kamen, blieben alle Ausgleichsbemühungen erfolglos. Die katholische Mehrheit beschloss den Reichabschied ohne die Protestanten, diese erkannten den Mehrheitsbeschluss nicht an. Damit waren alle möglichen Plattformen eines friedlichen Ausgleichs zerstört. Bis 1640 sollte es zu keinem Reichstag mehr kommen.

Zur gleichen Zeit waren bereits die beiden europäischen Bündnissysteme auf den Plan gerufen, nämlich im lange sich abzeichnenden Streit um das Erbe des Herzogs von Jülich-Kleve, einen großen Territorienkomplex am Niederrhein (1609–1614). Nur ein paar günstigen Zufällen war es zuzuschreiben, dass dieser Konflikt sich noch nicht zum großen Krieg zwischen den inzwischen europaweit vernetzten konfessionellen Lagern auswuchs, wie es wenig später der Fall sein sollte.

Alle diese reichspolitischen Konflikte spielten sich in einer allgemeinen Krisenatmosphäre ab, bei der die wirtschaftlichen Folgen von Klimaverschlechterung, Bevölkerungszuwachs und Ressourcenverknappung sowie die Herrschaftsintensivierung der Landesherren zu wachsenden sozialen und politischen Spannungen führten. So kam es beispielsweise zwischen 1590 und

1620 zu einer Häufung von Bürgeraufständen in verschiedenen Städten. Ausdruck der allgemeinen Krisenstimmung waren auch – wie schon in der Reformationszeit – Ausschreitungen gegen Juden in den wenigen Reichsstädten, wo es überhaupt noch größere Judengemeinden gab (Speyer 1603; Worms 1615, Wetzlar 1609, Frankfurt 1614). Zugleich erreichten Hexenangst und Hexenverfolgung in vielen Territorien des Reiches ihren Höhepunkt. All das waren Indizien und zugleich Faktoren für ein zunehmendes Klima der Bedrohung und sozialen Abgrenzung, das der wachsenden konfessionellen Feindseligkeit zusätzlich Nahrung gab.

VI. Dreißigjähriger Krieg und Westfälischer Frieden (1618–1648)

Die Bezeichnung «Dreißigjähriger Krieg» suggeriert ein gleichmäßiges Kriegsgeschehen über drei Jahrzehnte hinweg. Das ist irreführend: Vielmehr handelte es sich um ein ganzes Bündel verschiedener miteinander verflochtener militärischer Konflikte, die teils schon vorher begonnen hatten, wie der niederländisch-spanische Krieg (seit 1568), teils mit dem Westfälischen Frieden nicht aufhörten, wie der spanisch-französische Krieg (bis 1659). Dennoch nahmen schon Zeitgenossen dieses komplexe Geschehen als Einheit wahr und bezeichneten es als den «Teutschen Krieg». Denn das Reich war der Hauptkriegsschauplatz, auf dem die verschiedenen europäischen Mächte ihre Interessen ausfochten, und es war – mit bis zu zwei Dritteln Bevölkerungsverlust in manchen Regionen – am meisten von den Gräueln und Verheerungen betroffen. Zugleich ging es in diesem Krieg ganz wesentlich um die Verfasstheit des Reiches, d. h. um die Frage, auf welcher Ebene der Prozess der Staatsbildung langfristig fortgesetzt werden würde: auf der des Reiches als Ganzem oder auf der der einzelnen Länder. Wie weit durfte die kaiserliche Gewalt gegenüber den Reichsständen als Landesherren, wie weit die landesherrliche Gewalt gegenüber den Landständen und Untertanen gehen? Sollte sich das Reich zu einer zentralisierten kaiserlichen Monarchie entwickeln oder zu einem föderalen Verband weitgehend selbstständiger Glieder? Die Gegner des Kaisers formulierten das polemisch als Gegensatz zwischen «spanischer Servitut» und «teutscher Libertät». Die Zuspitzung der Verfassungsproblematik war mit der Konfessionsproblematik unlösbar verknüpft. Die protestantischen Reichsstände kämpften um das Kirchenregiment als Säule ihrer Landeshoheit und damit zugleich um ihre Partizipationsrechte im Reich. Protestantische Landstände kämpften unter den Habsburgern als katholischen Landesherren um ihre religiöse Autonomie und damit zugleich um ihre Partizipationsrechte im Land. Der Kaiser suchte seine zentrale monarchische Stellung auf Kosten der «ständischen Libertät» auszudehnen. Der Krieg gewann seine Schärfe und Dauer aber vor allem dadurch, dass dieser Kampf um die Gestalt der Reichsverfassung eingebettet war in die mächtepolitische Konfliktlage in Europa, die wesentlich von der alten habsburgisch-französischen Rivalität gekennzeichnet war. Andere Konflikte lagerten sich daran an. Das Reich lag inmitten einer Reihe verschiedener regionaler Konfliktzonen, in die es überall mehr oder weniger eng verstrickt war oder nach und nach durch die habsburgischen Kaiser hineingezogen wurde: Im Nordwesten der niederländische Aufstand gegen die Spanier, im Ostseeraum die konkurrierenden Machtinteressen der Könige von Dänemark, Schweden und Polen-Litauen, im Südosten der Krieg gegen die Türken und ihre Verbündeten in Ungarn sowie der Ständeaufstand in den böhmischen Ländern, im Süden das Jahrhunderte lange Ringen zwischen Habsburg und Frankreich um die Vorherrschaft in Italien, das sich um die Erbfolge im Herzogtum Mantua neu entzündete, und damit verbunden der Konflikt um das Veltlin als wichtigsten alpinen Verbindungsweg.

Seinen Ausgang nahm der «Teutsche Krieg» von einem regional begrenzten Aufstand protestantischer Landstände gegen ihre habsburgischen Landesherren. In den Ländern der böhmischen Krone hatten die protestantischen Stände eine weitgehende politische Autonomie errungen und eine eigene Konfessionalisierungs- und Staatsbildungspolitik begonnen. Sie hatten den innerdynastischen Konflikt zwischen den beiden Habsburger Brüdern Rudolf II. und Matthias für sich ausnutzen können und im «Majestätsbrief» 1609 ihre politischen und religiösen Rechte verbrieft bekommen. Auf dieser Grundlage widersetzten sie sich der Rekatholisierungspolitik, die ihr neuer habsburgischer Landesherr Ferdinand (der 1619 zum Kaiser gewählt wurde) betrieb. Nach dem so genannten Prager Fenstersturz von 1618 als symbolischem Akt des Widerstands gegen die habsburgischen Statthalter verbündeten sich 1619 die Stände der Kronländer Böhmen, Schlesien, Mähren und der Lausitzen zu einer Schwureinung, der «*Confoederatio bohemica*», der sich auch die Stände von Nieder- und Oberösterreich anschlossen. Sie beriefen sich darauf, dass Böhmen eine Wahlmonarchie sei, setzten Ferdinand ab und wählten den Kurfürsten Friedrich V. von der Pfalz, den Führer der protestantischen Union, zum böhmischen König. Der abgesetzte König und neue Kaiser Ferdinand II. (1619–1637) fand Unterstützung – trotz der alten Rivalität der beiden katholischen Dynastien – bei Maximilian von Bayern, dem Oberhaupt der Liga, aber auch bei dem traditionell loyalen Kurfürsten von Sachsen. Als Gegenleistung für den Einsatz des Ligaheeres gegen die Aufständischen erhielt der Herzog von Bayern nicht nur das Versprechen, seine Eroberungen als Pfand für die Kriegskosten behalten zu dürfen, sondern auch die Kurwürde des Pfälzers (der ja ebenfalls der Wittelsbacher Dynastie angehörte) übertragen zu bekommen. Die Böhmen scheiterten militärisch unter anderem an der mangelnden Unterstützung durch andere protestantische Fürsten. Ferdinand II. ließ die Führer des Aufstands auf spektakuläre Weise hinrichten, enteignete und entmachtete die gesamte protestantische Elite, rekatholisierte die Untertanen und schaffte mit der «Verneuerten Landesordnung» (1627) alle Sonderrechte der böhmischen Länder ab.

Für die Reichsordnung war das Ergebnis des Aufstands folgenträchtig. Über den Pfälzer «Winterkönig» wurde die Reichsacht verhängt, die Kurwürde wurde ihm aberkannt, und er floh in die Niederlande, während seine Verbündeten den Krieg nach

Nordwestdeutschland trugen. Der Herzog von Bayern wurde 1623 ohne Zustimmung der protestantischen Kurfürsten mit der Oberpfalz, Teilen der Kurpfalz und der erblichen Kurwürde belehnt. Im Kurkolleg hatten die Katholiken nun ein klares Übergewicht. Damit überschritt der Konflikt den regionalen Rahmen der habsburgischen Erbländer und nahm eine reichspolitische Dimension an. Das zunächst geheim gehaltene Versprechen der Kur war insofern unerhört, als der Kaiser damit eigenmächtig in eines der ältesten Reichsgrundgesetze, die Goldene Bulle, eingriff – ähnlich, wie es Karl V. 1548 mit der Übertragung der sächsischen Kurwürde von der ernestinischen auf die albertinische Linie der Wettiner getan hatte. Schon hier zeigt sich ein strukturelles Phänomen, das den Verlauf des Krieges auch später kennzeichnete: Der Kaiser verfügte nicht über ein Reichsheer, sondern war zur Kriegführung auf mächtige Kriegsherren wie den Bayern angewiesen, die aber ihre eigenen machtpolitischen Interessen dabei verfolgten und sich mit Ländern, Hoheitsrechten und Standeserhöhungen entlohnen ließen.

Der Konflikt erreichte eine zweite Eskalationsstufe, als König Christian IV. von Dänemark zugunsten Friedrichs von der Pfalz in den Krieg eingriff. Als Herzog von Holstein war er selbst Reichsstand und mächtigstes Mitglied des niedersächsischen Reichskreises, an dessen Grenzen das Ligaheer inzwischen stand. Christian ließ sich 1625 von seinen Mitständen zum Kreisobersten wählen und konnte sein Handeln daher offiziell als Schutz des Kreises ausgeben, als er im Juli 1625 auf Seiten der Pfalz in den Krieg eintrat, um sein Ostseeimperium gegenüber seinem schwedischen Rivalen zu stärken. Auch dies war ein Strukturproblem der Reichsverfassung: Der König einer benachbarten Monarchie konnte zugleich Mitglied des Reiches sein und seine Einflussmöglichkeiten in den Reichsinstitutionen in den Dienst seiner reichsfremden Machtpolitik stellen.

1625 hatte das lange Werben Friedrichs von der Pfalz um Unterstützung durch seine europäischen Verwandten Erfolg: Die Niederlande und England schlossen sich mit ihm und dem dänischen König in der «Haager Allianz» zusammen. Gemeinsam mit dem Söldnerführer Mansfeld und mit Rückhalt durch den

Fürsten Gabriel Bethlen in Siebenbürgen versuchte Christian IV. die Lage in Böhmen noch einmal zugunsten des Pfälzers zu wenden, unterlag aber den Heeren der Liga und des Kaisers und musste sich 1629 im Frieden von Lübeck völlig aus dem Kriegsgeschehen im Reich zurückziehen. Der Kaiser schien nun vollkommen Herr der Lage zu sein. Erstmals hatte er seine Macht in nie dagewesener Weise bis an die Ostsee ausgedehnt, in Länder, die zwar formal zum Reich gehörten, aber bisher weit jenseits der direkten kaiserlichen Einflusssphäre gelegen hatten. Er verdankte diesen Erfolg zum einen der Liga, zum anderen seinem General und Kriegsunternehmer Albrecht von Wallenstein, einem böhmischen Niederadeligen, der auf eigene Kosten bzw. über Kredite ein hoch effizientes Heer aufgestellt, organisiert und geführt hatte. Als Gegenleistung belehnte der Kaiser Wallenstein mit dem Herzogtum Mecklenburg, einem bedeutenden reichsfürstlichen Territorium mit Sitz im Reichstag; die angestammten Herzöge von Mecklenburg wurden als Parteigänger des dänischen Königs abgesetzt. Den hergebrachten Rechtsvorstellungen hätte es entsprochen, die Herrschaft einem verwandten oder verschwägerten Haus der Herzöge zu übertragen, nicht aber einem landfremden katholischen Emporkömmling. Auch diese Entschädigung Wallensteins für seine Dienste wurde – ebenso wie die Verleihung der Kurwürde an den Bayern – als Bruch der Reichsverfassung empfunden, die ja keinesfalls zur Disposition des Kaisers stand. Eingriffe in die Ordnung des Reiches von dieser Tragweite ohne jede Zustimmung der Reichsstände waren massive Verstöße gegen das Reichsherkommen. Aber da es ein von den Reichsständen unabhängiges Heer unter der Kontrolle einer kaiserlichen Zentralgewalt nicht gab, konnte der Kaiser einen Krieg ohne die Hilfe der Gesamtheit der Reichsstände nur führen, indem er sich auf einen Kriegsunternehmer wie Wallenstein stützte, den er dafür unter Bruch der Reichsverfassung in den Rang und zu der Macht eines Reichsstandes aufsteigen lassen musste. Wallensteins Erfolg bestand vor allem darin, dass er die zur Kriegführung nötigen Mittel zum großen Teil unmittelbar durch die Heere selbst aus dem Land, in dem sie sich aufhielten, aufbringen ließ («Kontributionssystem»). Damit umging er den üblichen, langwierigen und konsensbedürftigen Weg der Steueraufbringung durch die Reichsstände. Umgekehrt verfügten die meisten Reichsstände nicht über rasch einsetzbare Truppen, ihre Länder waren daher den kaiserlichen Heeren weitgehend hilflos ausgeliefert. Schon 1627 übten daher auch die grundsätzlich loyalen Kurfürsten Kritik an Wallenstein und seiner Methode der Heeresversorgung und drängten auf eine Reduzierung seiner Truppen.

Indes befand sich Kaiser Ferdinand II. aufgrund seiner militärischen Erfolge auf dem Höhepunkt seiner Macht und suchte das zu nutzen, um die konfessionelle Ordnung zu revidieren und damit zugleich die verfassungspolitischen Gewichte im Reich im Sinne einer straffen kaiserlichen Zentralmacht neu zu tarieren – ähnlich wie es Karl V. nach seinem Sieg im Schmalkaldischen Krieg versucht hatte. Nach dem Lübecker Frieden, im März 1629, erließ er – wiederum ohne Beteiligung der Reichsstände – das so genannte Restitutionsedikt. Die strittigen Punkte des Augsburger Religionsfriedens wurden darin aus kaiserlicher Machtvollkommenheit im Sinne der katholischen Auslegung entschieden und die *Declaratio Ferdinandea* für ungültig erklärt. Alle nicht reichsunmittelbaren Kirchengüter sollten in den 1552 bestehenden Zustand zurückgeführt werden, was die Wiederherstellung unzähliger Klöster in den evangelischen Territorien bedeutet hätte. Die reformierten Reichsstände, die bisher von den Lutheranern formal als Augsburgische Konfessionsverwandte geduldet worden waren, wurden nun ausdrücklich vom Schutz des Religionsfrieden ausgeschlossen. Zügig wurde in einigen Ländern mit Restituierungsmaßnahmen begonnen, was allerdings zu Konflikten unter den Katholiken führte, weil nun vielfach neue Orden statt der alten in den Besitz der restituierten Güter gelangten.

Der kaiserliche Angriff auf die landesherrliche Religionshoheit wurde als grundsätzlicher Angriff auf die reichsständische Libertät auch von denjenigen Fürsten als höchst bedrohlich wahrgenommen, die bisher kaisertreu und kompromissbereit gewesen waren, wie Kursachsen und Kurbrandenburg. Man befürchtete, der Kaiser wollte im Reich ebenso vorgehen wie in

Böhmen. Auch die katholischen Kurfürsten, vor allem Bayern, riskierten nun eine Konfrontation mit dem Kaiser. Auf dem Kurfürstentag in Regensburg 1630 nutzten sie die Gelegenheit, ihn unter Druck zu setzen, und verlangten die Entlassung Wallensteins. Ferdinand beugte sich, weil er den Konsens der Kurfürsten für die geplante Wahl seines Sohnes zum Nachfolger brauchte; Wallenstein zog sich auf sein Herzogtum Friedland in Böhmen zurück; das kaiserliche Heer wurde um drei Viertel reduziert und mit den Ligatruppen vereinigt. Am Restitutionsedikt hielt der Kaiser aber unnachgiebig fest, obwohl er ohne Wallensteins Heer gar nicht mehr die Machtmittel zu seiner Durchsetzung hatte. Damit verscherzte er sich aber die Loyalität des lutherischen Kursachsen und des reformierten Kurbrandenburg, die sich trotz konkurrierender Bekenntnisse wenig später zu einer gemeinsamen Politik verabredeten (Leipziger Bund 1631). Gleichzeitig verbündete sich Maximilian von Bayern mit Frankreich. Kurzum: Das Restitutionsedikt erwies sich als Fehler der kaiserlichen Politik.

Der innerdeutsche Verfassungskonflikt bot nun erneut einer auswärtigen Macht einen Vorwand zum Eingreifen im Interesse der eigenen Machtpolitik: König Gustav Adolf von Schweden, der dies schon vor dem Restitutionsedikt geplant hatte, landete 1630 auf dem Kontinent und gab sich als Schutzherr der deutschen Libertät und Befreier der Protestanten aus, was diese zunächst keineswegs zu schätzen wussten. Mit einem für niemanden vorhersehbaren Erfolg und mit französischer Unterstützung (Vertrag von Bärwalde 1631) eroberten seine neuartig organisierten Truppen von Norden nach Süden Schritt für Schritt ein Territorium nach dem anderen: von Pommern über Kurmainz bis nach Bayern. Nach anfänglicher Abneigung verbündeten sich nach und nach die protestantischen Stände mit dem Schwedenkönig. Das Fanal dazu war der verheerende Brand der Stadt Magdeburgs, für den die Ligatruppen unter dem Feldherrn Graf Tilly verantwortlich gemacht wurden. Als der Kaiser von sich aus militärisch gegen das bis dahin loyale Kursachsen vorging, trat dieses auf schwedischer Seite in das Kriegsgeschehen ein. Nachdem Wallenstein mit einem neuen Heer zurückberufen worden und Gustav Adolf selbst 1632 in der Schlacht bei Lützen gefallen war, büßten die Schweden allmählich ihre triumphale Position wieder ein. 1633 kam es in Heilbronn zu einem großen Bündnis der protestantischen Reichsstände aller vier oberdeutschen Kreise unter schwedischer Direktion, das damit Kursachsen die Führungsmacht der deutschen Protestanten streitig machte. Nachdem Wallenstein sich des Verrats an seinem kaiserlichen Auftraggeber verdächtig gemacht hatte und umgebracht worden war, gewannen die Kaiserlichen mit Hilfe bayerischer und spanischer Truppen 1634 bei Nördlingen eine entscheidende Schlacht gegen den Heilbronner Bund.

Diesmal machte der Kaiser nicht denselben Fehler wie 1629 mit dem Restitutionsedikt. Es ging ihm jetzt vielmehr darum, vor allem Frieden und Einigkeit im Reich wiederherzustellen. Inzwischen war klar geworden, dass er nur im Verein mit den mächtigen Reichsfürsten und unter Wahrung ihrer Rechte seine Macht behaupten und verhindern konnte, dass die Einheit des Reiches auswärtigen Mächten zum Opfer fiel. Aus dieser Einsicht schloss er 1635 mit dem Kurfürsten von Sachsen den Prager Frieden, dem nach und nach fast alle Reichsstände beitraten. Der Friede sah vor, dass alle reichsständischen Bünde, also vor allem die Liga, aufgelöst und alle Truppen zu einem gemeinsamen Heer unter kaiserlicher Führung zusammengeführt wurden, wobei allerdings die einzelnen Reichsstände weiterhin Kontingente stellen und befehligen sollten. Die Bündnispartner verpflichteten sich, die fremden Mächte aus dem Reich zu vertreiben. In konfessionspolitischer Hinsicht wurde vereinbart, dass das Restitutionsedikt zunächst für vierzig Jahre suspendiert werden sollte. Zusätzlich wurde ein «Normaltag» vereinbart, nämlich der 2. bzw. 12.11.1627, d. h. die konfessionellen Verhältnisse sollten so wieder hergestellt werden, wie sie zu diesem Zeitpunkt bestanden hatten. Das war günstig für die katholische Seite, denn das Datum lag vor Gustav Adolfs Eroberungszug durch das Reich, es machte allerdings auch die kaiserlichen Restitutionen seit 1629 wieder rückgängig. Die gegenreformatorischen Maßnahmen der Habsburger in ihren eigenen Territorien blieben unangetastet.

Der Prager Frieden hätte den Krieg im Reich beenden können, wenn es nur um den Verfassungs- und Konfessionskonflikt zwischen Kaiser und Ständen gegangen wäre. Es gelang indes nicht, die fremden Mächte daran zu hindern, ihre eigenen Interessen auf dem deutschen Kriegsschauplatz weiterzuverfolgen. Damit begann die letzte, längste und verheerendste Phase des Kriegsgeschehens, aus dem «Teutschen Krieg» wurde ein «europäischer Krieg in Deutschland» (K. Repgen). Seit 1635 führte Frankreich (unter Kardinal Richelieu) im Bündnis mit den Niederlanden und oberitalienischen Fürstentümern Krieg gegen Spanien. Im März 1636 erklärte es auch dem Kaiser den Krieg und trug damit den französisch-spanischen Konflikt ins Reich hinein. Der gemeinsame Krieg der Konfessionsgegner Frankreich und Schweden gegen Spanien, Kaiser und Reich zog sich mit wechselnden Erfolgen noch zwölf Jahre hin und trat mehr oder weniger auf der Stelle. Die schwedische Macht im Reich sank um 1640 zwar auf ihren Tiefpunkt, sich aus dem Reich zurückzuziehen war Schweden aber nicht bereit, solange es nicht für seine Kriegskosten durch Land und Geld entschädigt wurde. Vielmehr wurde das Bündnis mit Frankreich 1641 erneuert; keiner von beiden sollte ohne den anderen Frieden schließen.

Ferdinand II. war 1637 gestorben, hatte aber schon im Jahr zuvor seinen Sohn zum römischen König wählen lassen. Zur Regierungszeit Kaiser Ferdinands III. (1637–1657) verschlechterte sich die europäische Gesamtlage erheblich auf Kosten der spanischen Habsburger. Das entlastete die französische Kriegführung, Frankreich konnte sich stärker auf das Reich konzentrieren, und der Kaiser ließ sich von den Reichsständen zu verstärkten Friedensbemühungen bewegen. 1640 wurde erstmals seit 1614 wieder ein Reichstag einberufen, um erneut über die Lösung der Reichsverfassungsprobleme zu beraten, was die auswärtigen Mächte vergeblich zu verhindern suchten.

Während in den folgenden acht Jahren der Krieg mit einer erneuten schwedischen Offensive fortgesetzt wurde, Dänemark und Siebenbürgen wieder in den Krieg eintraten, überall im Reich große Heere umherzogen und das Land ausbeuteten, die kaiserlichen Truppen schwere Niederlagen hinnehmen mussten und die Bevölkerung durch Hunger, Seuchen und Gewalt dezimiert wurde, blieben die ganze Zeit über Bemühungen im Gang, endlich zu einem allgemeinen Frieden zu kommen. Es war inzwischen klar geworden, dass dies nur unter Beteiligung aller Mächte zustande gebracht werden konnte. In Hamburg hatten sich schon 1641 der Kaiser, Schweden und Frankreich auf gewisse Verfahrensmodalitäten geeinigt. Münster und Osnabrück waren als Verhandlungsorte ausgesucht worden – zwei vom Krieg weitgehend verschonte, wohlhabende Städte unterschiedlicher Konfession, die nah genug beieinander lagen. Getrennte konfessionelle Verhandlungsorte waren notwendig, weil der päpstliche Nuntius sich weigerte, mit protestantischen Mächten zusammenzutreffen. Der Kongress sollte im März 1642 beginnen, wozu es nicht kam, weil Frankreich und Schweden ihre Verhandlungspositionen immer noch durch militärische Erfolge zu verbessern suchten. Einzelne Reichsstände scherten nun nach und nach mit separaten Verträgen aus dem Krieg aus, so Kurbrandenburg 1641, Braunschweig 1642, Kursachsen 1645 und Bayern 1647. Nachdem 1643 die kaiserlichen Bevollmächtigten in Westfalen eingetroffen waren, schickten allmählich auch die anderen europäischen Mächte Gesandtschaften nach Münster und Osnabrück, darunter auch die als Vermittler fungierenden Gesandten der Republik Venedig und des Papstes. Zugleich berieten Niederländer und Spanier ebenfalls in Münster über die Beendigung ihres Achtzigjährigen Krieges und die Anerkennung der Unabhängigkeit der Vereinigten Provinzen.

Bevor man überhaupt anfangen konnte, über die Sache zu verhandeln, ja bevor man einander überhaupt persönlich treffen konnte, mussten unzählige Formprobleme gelöst werden. Das lag unter anderem daran, dass auf diesem Kongress erstmals nahezu alle europäischen Potentaten durch ihre Gesandten aufeinander trafen und darum bemüht sein mussten, in prunkvollem zeremoniellem Auftreten ihren Rang und Status im europäischen Mächtesystem zum Ausdruck zu bringen. Es handelte sich dabei keineswegs um überflüssige Eitelkeiten. In der zeremoniellen Behandlung bezeugte man einander ja wechselseitig schon das, was Gegenstand der Verhandlungen sein sollte, nämlich den zukünftigen völkerrechtlichen Status und das Verhältnis der beteiligten Mächte. Deshalb war auch die Frage hoch umstritten, in welcher Weise das Reich auf dem Kongress vertreten sein sollten: Repräsentierte allein der Kaiser (bzw. seine Bevollmächtigten) das Reich in seiner Gesamtheit oder der Kaiser gemeinsam mit den Kurfürsten, oder sollten die Reichsstände ihrerseits teilnehmen und wenn ja, in welcher Form. Seit 1643 tagte ein Reichsdeputationstag in Frankfurt, eine ständisch gegliederte Versammlung von Deputierten aller Reichskreise, um die reichspolitischen Probleme vorzubehandeln. Die Reichsstände dort verlangten nun ein eigenes Mitspracherecht bei den Friedensverhandlungen. Die Entscheidung dieser Frage bedeutete schon ein Präjudiz für die späteren Verhandlungen, was das Bündnis- und Gesandtschaftsrecht der Stände, d. h. ihren völkerrechtlichen Status und letztlich die Verfassungsordnung des Reiches insgesamt betraf. Bei der Teilnahmefrage ging es im Kern schon darum, ob das Reich zukünftig eher ein lockeres föderatives System selbstständiger Glieder oder eher eine ständisch beschränkte kaiserliche Monarchie sein würde. Schweden und Franzosen machten sich den reichsständischen Standpunkt gegenüber dem Kaiser zu Eigen und setzten sich damit schließlich durch; die Reichsstände schickten eigene Gesandtschaften. Die Verhandlungen in diesem historisch beispiellosen Kongress gestalteten sich aus den genannten Gründen äußerst umständlich: Es gab keine Gesamtversammlungen aller Gesandten, sondern immer nur wechselseitige Besuche in den jeweiligen Quartieren. Die Verhandlungsergebnisse mussten ständig zwischen den beiden Kongressorten ausgetauscht werden. Zugleich mussten die Bevollmächtigten regelmäßig mit ihren Auftraggebern korrespondieren, um sich rückzuversichern und neue Instruktionen einzuholen. Trotzdem kam es am 24. Oktober 1648 endlich zur Unterzeichnung zweier paralleler Friedensverträge: zwischen dem Kaiser, dem Reich und Schweden (*Instrumentum Pacis Osnabrugense*) sowie zwischen dem Kaiser und Frankreich (*Instrumentum Pacis Monasteriense*). Die Botschaft vom Friedensschluss wurde überall im Reich mit Freudenfesten gefeiert.

Der Frieden war zugleich ein völkerrechtlicher Vertrag und eine Verfassungsregelung für das Reich. Auf der Grundlage einer allgemeinen wechselseitigen Amnestie für alles im Krieg begangene Unrecht wurden die Gebietsansprüche der beteiligten Mächte befriedigt, das konfessionelle Nebeneinander im Reich neu geordnet und die Gewichte zwischen Kaiser und Reichsständen neu austariert.

In der Konfessionsfrage wurde der Augsburger Religionsfrieden prinzipiell bestätigt, aber die dort strittig gebliebenen Fragen wurden neu geregelt – und zwar ohne jede zeitliche Befristung. Grundsätzlich wurden die Reichsstände aller drei Konfessionen (also anders als 1635 auch die Reformierten) in jeder Hinsicht rechtlich gleichgestellt, jede Gewaltanwendung für immer untersagt. Die konfessionellen Rechtsverhältnisse sollten gemäß dem «Normaltag» 1.1.1624 wiederhergestellt werden, d. h. sowohl die Folgen der Eroberungen Wallensteins wie auch Schwedens wurden rückgängig gemacht, aber die protestantischen Säkularisierungen nach 1552 wurden legalisiert. Später erwies es sich allerdings als äußerst schwierig, die komplizierten, zum Teil konfessionell gemischten Verhältnisse dieses über zwei Jahrzehnte zurückliegenden Stichtags überhaupt genau zu rekonstruieren. Die Normaljahrsregelung stand im Widerspruch zum Reformationsrecht der Stände, das formal aber fortbestand. Nur für die habsburgischen Erbländer und für die Reichsritterschaft wurde das *ius reformandi* durch keinen Stichtag eingeschränkt, und die bayerisch gewordene Oberpfalz sollte katholisch bleiben. Der Kurfürst von der Pfalz wurde in seinen Rechten restituiert, aber der Herzog von Bayern durfte die Kur ebenfalls behalten, so dass es nun acht Kurstimmen gab. Die Reichsstände (einschließlich der Städte) behielten grundsätzlich ihre Kirchenhoheit, aber mit der sehr wesentlichen Einschränkung, dass sie ihre andersgläubigen Untertanen nicht diskriminieren durften, sondern die Ausübung ihres Glaubens im privaten Raum dulden mussten. Der Konfessionalisierungsprozess wurde damit zum Stehen gebracht. Wenn künftig ein Landesherr die Konfession wechselte – was sehr häufig der Fall war –, mussten ihm die Untertanen darin nicht mehr folgen. Der Geistliche Vorbehalt wurde aufrechterhalten, die geistlichen Fürstentümer also weiterhin gegen Säkularisierung geschützt. Vor allem wurden die Reichsinstitutionen so modifiziert, dass keine Konfession die andere mehr dominieren konnte. Das geschah durch das Prinzip der Parität zwischen den beiden Konfessionsparteien. Von 50 Assessoren im Reichskammergericht mussten nun 24 evangelisch sein. Die Ratsämter in den gemischtkonfessionellen Reichsstädten mussten alle doppelt besetzt werden. Für das Hochstift Osnabrück wurde eine komplizierte bikonfessionelle Verfassung mit abwechselnd einem evangelischen und einem katholischen Landesherrn festgelegt. Vor allem aber: Auf Reichstagen konnte man in allen Sachen, die die Religion betrafen, künftig nicht mehr das Mehrheitsprinzip geltend machen, sondern musste sich gütlich einigen. In solchen Fällen sollten die beiden Konfessionsparteien auseinander treten und getrennt beraten (*itio in partes*), um anschließend eine einvernehmliche Lösung auszuhandeln. Die Konfessionsproblematik verschwand durch diese Paritätsregeln allerdings nicht, eher im Gegenteil: Die Reichsverfassung wurde gewissermaßen von dem Konfessionsgegensatz durch und durch imprägniert.

Was die Kräfteverteilung in der Reichsverfassung betraf, so besiegelte der Frieden die Entwicklung, dass der Weg zu moderner Staatlichkeit nicht vom Reichsganzen unter dem Kaiser, sondern von den mächtigen Reichsfürsten (von denen der Kaiser selbst einer der mächtigsten war) in ihren Territorienkomplexen fortgesetzt wurde. Zunächst schrieb der Friede grundsätzlich alle hergebrachten Rechte, Freiheiten und Privilegien der Reichsstände, ihrer Landstände und Untertanen fest; er hatte also eine ausgeprägt rechtswahrende Tendenz. Die Reichsfürsten bekamen die freie Ausübung ihrer Landeshoheit (*ius territoriale*) verbrieft. Das umfasste auch das Recht, Bündnisse mit auswärtigen Mächten zu schließen, solange diese sich nicht gegen Kaiser und Reich richteten – ein Recht, von dem nur die Stände wirkungsvollen Gebrauch machen konnten, die über eine eigene Armee verfügten. Um völkerrechtliche Souveränität im strengen Sinne handelte es sich aber bei der *superioritas territo-*

rialis nicht, denn die einzelnen Reichsstände waren ja nach wie vor dem Kaiser als Lehnsherrn und den Reichsinstitutionen verpflichtet. Schon die Konfessionsbestimmungen des Friedens selbst, denen sie ja unterworfen waren und die ihr Reformationsrecht grundlegend einschränkten, sprechen dagegen, sie als souverän zu bezeichnen. Schließlich sicherte der Frieden den Reichsständen in ihrer Gesamtheit, d. h. auf Reichstagen, auch die Mitbestimmung bei allen wesentlichen Reichsangelegenheiten zu. Insgesamt sollte sichergestellt werden, dass die Verfassungsbalance im Reich nicht noch einmal zugunsten des Kaisers verschoben werden konnte.

Der Westfälische Frieden war keineswegs nur ein Grundgesetz für das Reich (als das er auf dem nächsten Reichstag 1654 förmlich angenommen wurde), sondern auch ein völkerrechtlicher Friedensvertrag mit einer ganzen Reihe von Einzelregelungen. Der souveräne völkerrechtliche Status der Schweizer Eidgenossenschaft wurde endgültig anerkannt. Frankreich und Schweden, die Hauptgewinner des Krieges, erhielten territoriale und finanzielle Zugeständnisse als «Kriegsentschädigung». Schweden bekam Vorpommern sowie die säkularisierten Bistümer Bremen und Verden mit Sitz und Stimme auf dem Reichstag; der französische König erhielt die Bistümer Metz, Toul und Verdun und die habsburgischen Rechte im Elsass. Beide Monarchien waren Garantiemächte des Friedens, was ihnen Einfluss auf die inneren Angelegenheiten des Reiches sicherte. Erstmals wurde – zugunsten Brandenburgs – auch Kirchengut als Entschädigungsmasse eingesetzt.

Obwohl das Vertragswerk in der Folgezeit keineswegs einen allgemeinen Frieden in Europa herbeiführte, wurde es zur Grundlage eines neuen völkerrechtlichen Systems. In Münster und Osnabrück wurden die rechtlichen Grundprinzipien und die diplomatischen Kommunikationsformen des europäischen Mächtesystems für die nächsten Jahrhunderte angelegt. Das «Westfälische System» beruhte auf dem Prinzip völkerrechtlicher Gleichheit und Unabhängigkeit der Akteure; an die Stelle einer komplexen Hierarchie ungleicher Herrschaftsträger mit Papst und Kaiser als universalen Mächten an der Spitze trat –

zumindest tendenziell – eine Gemeinschaft prinzipiell gleichberechtigter, unabhängiger, souveräner Staaten, die sich wechselseitig in ihre inneren Angelegenheiten, vor allem in Religionssachen, nicht mehr einmischen durften. Nur das Reich mit seinen Gliedern entzog sich nach wie vor diesem Souveränitätsprinzip. Der Papst verweigerte dem Vertrag seine Anerkennung, denn er schrieb die Gleichberechtigung der evangelischen «Ketzer» definitiv völkerrechtlich und reichsrechtlich fest.

Der Westfälische Friede ist von den deutschen Historikern im 19. Jahrhundert als nationale Katastrophe gedeutet worden: Das Reich sei hier erstmals zum Raub der «Westmächte» geworden, in tausend kleine und kleinste selbstständige Einzelstaaten zersplittert und nicht mehr lebensfähig gewesen. Diese Beurteilung lag aus der Perspektive des 19. und 20. Jahrhunderts, aus der Sicht der Napoleonischen Kriege, des Deutschfranzösischen Krieges im Vorfeld der zweiten Reichsgründung und erst recht nach dem Versailler Frieden von 1919 nahe. Zum Teil handelt es sich dabei aber um Rückspiegelungen, die dazu führten, dass man die Reichsverfassungsgeschichte zumindest einseitig wahrgenommen hat. Zwar ist nicht zu bestreiten, dass die Verfassungsregelungen von 1648 eine strukturelle Entwicklung förderten, die später zur machtpolitischen Polarisierung, zur erneuten Lähmung der Reichsinstitutionen und zur völligen Verteidigungsunfähigkeit des Reichsverbandes führte. Andererseits hat diese Perspektive lange Zeit verhindert zu sehen, dass sich nach 1648 nicht nur die kaiserliche Autorität allmählich wieder stabilisierte und damit die Position der mindermächtigen Stände schützte, sondern dass sich auch die Reichsinstitutionen wieder konsolidierten und durchaus erfolgreich arbeiteten.

VII. Die Westfälische Ordnung
und der Wiederaufstieg des Kaisertums
(1648–1740)

Die Verfassungsstruktur des Reiches wurde im 17. Jahrhundert zum Gegenstand einer intensiven theoretischen Debatte. Diskutiert wurde in zahlreichen juristischen Traktaten, wem im Reich die höchste Gewalt (*maiestas*) eigentlich zukomme. Den Impuls zu dieser Debatte hatte vor allem der französische Jurist und Historiker Jean Bodin gegeben, der in seinen «Six livres de la République» (1586) einen neuen Begriff von Souveränität geprägt hatte. Danach war Souveränität eine absolute, einheitliche, unteilbare und unbegrenzte, allen anderen übergeordnete Gewalt, und es kennzeichnete die Form eines jeden Gemeinwesens, wer diese höchste Gewalt innehatte. Es entspann sich nun ein endloser Streit, ob im Reich diese höchste Gewalt beim Kaiser liege, bei den Reichsständen in ihrer Gesamtheit, d. h. beim Reichstag, oder bei jedem einzelnen Fürsten als solchem. Je nachdem, wie man die Frage beantwortete, betrachtete man das Reich entweder als Monarchie oder als Aristokratie oder als Bund einzelner Staaten; und mit jeder Antwort verbanden sich andere politische Interessen. Da alle einfachen Antworten letztlich aber unplausibel waren, unterschied man in Bezug auf das Reich zwischen *maietas personalis* und *maiestas realis*: Die persönliche Majestät liege zwar beim Kaiser, aber die reale höchste Gewalt bei der Gesamtheit der Reichsstände. Auch das blieb unbefriedigend. Die Debatte zog sich bis weit ins 18. Jahrhundert hin und beschäftigte Generationen von Rechtslehrern; sie wurde zum Katalysator für die Herausbildung einer eigenen juristischen Disziplin, die sich «Öffentliches Recht des Römisch-deutschen Reiches», *Ius publicum Imperii Romano-Germanici*, nannte. Letztlich taten allerdings alle diese Kategorisierungsversuche der Reichsordnung Gewalt an. Bei dem Souveränitätsbegriff handelte es sich um eine theoretische Abstraktion, die am Reich und seiner hochkomplexen historisch gewachsenen Struktur vorbeiging. Es kennzeichnete das Reich ja gerade, dass es dort keine einheitliche, allen anderen übergeordnete höchste Gewalt gab noch je gegeben hatte, sondern vielmehr ein hierarchisch geordnetes, kompliziert verschachteltes Ineinander verschiedener Herrschaftsrechte in verschiedenen Händen. An dem Begriff der Souveränität gemessen, musste das Reich daher wie ein *monstrum*, eine Mißgeburt erscheinen, wie Samuel Pufendorf 1667 schrieb. Erst im Laufe des 18. Jahrhunderts kam man allmählich davon ab, die Frage nach der Souveränität im Reich eindeutig beantworten zu wollen. Der Reichsrechtler Johann Jakob Moser setzte die detailgenaue empirische Beschreibung aller Rechtsbestände an die Stelle abstrakter Staatsformenlehren und prägte die salomonische Formulierung «Teutschland wird auf Teutsch regiert.» In der theoretischen Auseinandersetzung spiegelte sich der realhistorische Konflikt zwischen dem Ausbau der großen Territorien zu annähernd souveränen Staaten einerseits und dem Fortbestand des historisch gewachsenen, in vieler Hinsicht mittelalterlich strukturierten Reiches andererseits wider. In den Jahrzehnten nach dem Westfälischen Frieden stand die Struktur der Reichsverfassung nicht nur theoretisch zur Debatte. Es ging auch praktisch um die Frage, ob das Reich zukünftig ein hierarchisches Gebilde mit Kaiser und Kurfürsten an der Spitze bleiben oder sich zu einem lockeren Bund gleichberechtigter Fürstenstaaten entwickeln würde.

Der Westfälische Frieden stabilisierte die Bedingungen für den Ausbau moderner Staatlichkeit in den Ländern der mächtigen Reichsstände. Die Geschichtsschreibung hat lange Zeit ihr Hauptaugenmerk auf diesen Prozess gerichtet und insbesondere am Aufstieg Brandenburg-Preußens die Durchsetzung absoluter Fürstenherrschaft beschrieben. Einzelnen Reichsfürsten gelang es, durch zunehmende Verstetigung der Steuererhebung und Aufbau eines entsprechenden zentralen Verwaltungsapparats die landständische Mitwirkung weitgehend auszuhöhlen und ein stehendes Heer aufzubauen, worauf sich wiederum der Anspruch auf eigenständige Beteiligung an der europäischen

Machtpolitik gründen ließ. Das gilt außer für Brandenburg-Preußen auch für Kurbayern, Kursachsen und Braunschweig-Lüneburg (seit 1692 Kurhannover). Das machtpolitische Gewicht dieser Fürsten hatte mit ihrem Status im Reichsverband bald nicht mehr viel zu tun. Vielmehr erwarben sie – mit Ausnahme Bayerns – auswärtige Kronen und agierten fortan als «gekrönte Häupter» mit den anderen europäischen Monarchen auf einer Ebene (S. 28). Diese Entwicklung sprengte auf lange Sicht schließlich den Reichsverband. Doch andererseits sicherte die Westfälische Friedensordnung auch die bestehenden Rechtsverhältnisse und fror sie gewissermaßen noch für anderthalb Jahrhunderte ein. Der Reichsverband wurde vor allem ein Rechtswahrungsverband, der den Fortbestand der kleinteiligen Strukturen der vielen Fürstbistümer und Fürstabteien, Grafschaften, Ritterkantone und Reichsstädte dauerhaft garantierte. Das lag vor allem daran, dass sich eine Balance einstellte zwischen den habsburgischen Kaisern mit den vielen mindermächtigen katholischen und geistlichen Reichsständen auf der einen Seite und den mächtigen weltlichen Reichsfürsten auf der anderen Seite. Die vielen kleinen und kleinsten Reichsglieder waren auf den Reichsverband und den Schutz des Kaisers existenziell angewiesen. Das verschaffte dem Haus Habsburg eine umfangreiche Klientel im Reich und ermöglichte es ihm, von der Kaiserwürde in hohem Maße zu profitieren. Unter Leopold I. (1658–1705) kam es zu einem Wiederaufstieg der kaiserlichen Rolle im Reich; unter Joseph I. (1705–1711) und Karl VI. (1711–1740) wurde die Kaiserwürde immer eindeutiger in den Dienst der österreichischen Großmachtpolitik gestellt.

Das war allerdings 1648 zunächst nicht abzusehen. Im Westfälischen Frieden waren eine Reihe grundsätzlicher Verfassungsfragen ungelöst geblieben (*negotia remissa*), zu deren Aushandlung 1653/54 ein Reichstag zusammentrat. Dabei handelte es sich vor allem um das zentrale Anliegen weltlicher Fürsten wie Hessen-Kassel und Braunschweig-Lüneburg, das institutionalisierte Übergewicht der Kurfürsten, ihre «Präeminenz», zurückzudrängen und das Reich in einen lockeren Bund gleichberechtigter Glieder zu verwandeln. Die Fürsten wollten bei der

Wahl des römischen Königs, bei der Abfassung einer beständigen Wahlkapitulation, bei der Verhängung einer Reichsacht usw. beteiligt werden. Außerdem ging es um die Umsetzung der konfessionellen Paritätsregeln und um einige Daueranliegen wie die Effizienzsteigerung des Reichskammergerichts, die Reform des Steuerwesens und die Organisation der Reichsverteidigung. Das wenigste davon wurde realisiert. In zwei Punkten allerdings wurden Entscheidungen getroffen, die die Unabhängigkeit der einzelnen mächtigen Reichsglieder vom Gesamtverband wesentlich stärkten. Zum einen wurde beschlossen, dass in Steuerfragen auf Reichstagen das Mehrheitsprinzip nicht gelten sollte, d.h. dass der Reichsverband in dieser für die Verteidigung zentralen Frage keine handlungsfähige Einheit darstellte und sich einzelne Stände der Verantwortung für das Ganze entziehen konnten. Zum anderen wurde festgelegt, dass die Landstände in den Territorien zukünftig verpflichtet seien, Reichs- und Kreissteuern sowie die nötigen Mittel für die Landesverteidigung aufzubringen, was ihren traditionellen Mitwirkungsrechten gegenüber den Landesherren weitgehend den Boden entzog. Dass sie in solchen Fällen auch nicht mehr vor Reichsgerichten klagen können sollten, setzte sich indes später nicht durch. Der Reichsabschied von 1654, in dem dies beschlossen wurde, sollte später der «jüngste» genannt werden, weil es danach nie wieder zu einem Reichs-«Abschied» kam, sondern der nächste Reichstag bis zum Ende des Reiches beieinander blieb (S. 95).

Beim Tod Kaiser Ferdinands III. 1657 gab es keinen Nachfolger, denn der 1653 zum römischen König gewählte Ferdinand IV. war schon wenig später gestorben. Als es zur Wahl von dessen Bruder Leopold kam, waren die Reichsstände vor allem daran interessiert, die Westfälische Friedensordnung zu sichern, die sie durch das Haus Österreich und seine Verwicklung in den Krieg der spanischen Habsburger gegen Frankreich gefährdet sahen. Engagierter Führer der Reichspolitik in dieser Zeit war der Mainzer Kurfürst und Erzkanzler Johann Philipp von Schönborn, Angehöriger einer reichsritterlichen Familie, die über die Domkapitel zu den höchsten Reichsämtern aufgestiegen war. Schönborn gelang es, eine Reihe von Ständen über die Konfes-

sionsgrenzen hinweg unter der Führung Frankreichs im später
so genannten «Ersten Rheinbund» zusammen zu bringen. Von
Frankreich versprach man sich vertragsgemäß die Garantie der
Friedensordnung gegenüber dem Haus Habsburg, womit man
allerdings den Bock zum Gärtner machte. Dem neuen Kaiser
wurde 1658 in die Wahlkapitulation geschrieben, dass er sich
mit niemandem (d. h. vor allem nicht mit seinen spanischen Verwandten) gegen Frankreich verbünden dürfe.

Beim Regierungsantritt Leopolds I. sah es zunächst nicht so
aus, als könnte sich das Kaisertum schnell wieder erholen. Leopold I. entfaltete aber eine auf die Dauer sehr wirkungsvolle
Reichspolitik und nutzte die kaiserliche Stellung geschickt im
Sinne der habsburgischen Interessen. Den Hintergrund dafür
bildeten zwei große äußere Bedrohungen, gegen die sich das
Reich zur Wehr setzen musste. Seit 1667 war es im Westen den
Angriffen des extrem expansionsfreudigen Sonnenkönigs Ludwig XIV. ausgesetzt, der nach wie vor einzelne Reichsstände,
vor allem die bayerischen Wittelsbacher, auf seine Seite bringen konnte (Holländischer Krieg 1667–78, beendet im Frieden
von Rijswijk; «Reunionen» angeblich zu Frankreich gehörender
Grenzterritorien seit 1679, Pfälzischer Erbfolgekrieg 1688–97,
beendet im Frieden von Nimwegen; schließlich der große Erbfolgekrieg, in dem die Häuser Habsburg, Wittelsbach und Bour-
bon um die spanische Erbfolge stritten, 1701–1713/14, beendet
in den Friedensschlüssen von Utrecht, Rastatt und Baden). Zugleich setzte ebenfalls seit den 1660er Jahren im Osten erneut
die Bedrohung durch die Osmanen ein, die 1683 im Angriff auf
Wien kulminierte. Der «Heiligen Allianz» zwischen dem Kaiser,
Russland, Polen, Venedig und dem Papst gelangen spektakuläre
Siege gegen die Türken, die bis 1739 Schritt für Schritt aus
Europa hinausgedrängt wurden, so dass sie im 18. Jahrhundert
keine Gefahr mehr darstellten. Das Haus Österreich war der
große Gewinner der Türkenkriege, die ihm die Herrschaft über
Ungarn und weitere Teile des Balkans einbrachten. Aber auch
die Kriege gegen Frankreich, so verlustreich sie für das Reich
waren, stärkten langfristig das habsburgische Kaisertum. Zwar
kosteten sie das Reich endgültig Lothringen und die Reichsstadt

Straßburg; die Pfalz wurde schwer verwüstet, und den spanischen Thron verlor das Haus Habsburg an die Bourbonen. Dafür fielen im Frieden von Rastatt und Baden allerdings die ehemals spanischen Niederlande (das heutige Belgien) und die spanischen Besitzungen in Italien (Neapel, Mailand, Mantua und Sardinien) an die österreichischen Habsburger zurück. Beide machtpolitischen Bedrohungen bereiteten letztlich den Weg für die Großmachtstellung des Hauses Österreich und trugen zu einer Stärkung des Kaisers bei, führten aber auch zu einer zunehmenden Spannung zwischen kaiserlichem Amt und habsburgischen Großmachtinteressen, deren Schwerpunkt nun außerhalb des Reiches lag: in Italien und auf dem Balkan.

Die Stärkung des habsburgischen Kaisertums im Reich beruhte neben den Türkensiegen (die schon damals auch spektakuläre Medienereignisse waren und dem Kaiser eine beispiellose Popularität verschafften) vor allem auf der geschickten Reichspolitik Leopolds I., die ihm die kleinen Reichsglieder verpflichtete und auch die Loyalität einiger großer Fürsten verschaffte. So nutzte er wirkungsvoll seine Stellung als höchste Quelle aller Legitimität und allen Ranges im Reich, um seine Einkünfte und seinen Einfluss zu steigern, indem er von seinem kaiserlichen Reservatrecht zu Standeserhöhungen Gebrauch machte. Das symbolische Kapital von Rang, Stand und Ehre war für die Zeitgenossen von höchstem Wert, und es stärkte die kaiserliche Position, dass er über dieses Kapital im Reich nahezu allein (wenn auch mit zunehmenden Einschränkungen) verfügen konnte. So verlieh er Braunschweig-Lüneburg 1692 die Kurwürde, stimmte der Königserhebung Brandenburg-Preußens zu, unterstützte den Erwerb der polnischen Krone durch Kursachsen und ließ sich das wie andere Standeserhöhungen auch teuer bezahlen. Außerdem nutzte der Kaiser das Mittel der Heiratspolitik, um sich reichsfürstliche Familien zu verpflichten, und er baute den Wiener Hof zu einem glanzvollen politischen und kulturellen Zentrum aus, was die dortigen Ämter für den Reichsadel hoch attraktiv machte – auch wenn sie den Inhabern selten feste Gehälter einbrachten, sondern eher Kosten verursachten. Durch die Vergabe von Stellen im kaiserlichen Heer eröffnete er den Inhabern nicht nur die Gelegenheit, Ruhm und Ehre, sondern auch Ländereien zu erwerben. Vor allem bediente er sich seiner Einflussmöglichkeiten auf die Reichskirche, um wichtige Stellen mit Familienmitgliedern und treuen Anhängern zu besetzen. In den Genuss solcher Gunsterweise kamen vor allem mindermächtige Reichsstände, Grafen und Ritter katholischer Konfession, die seine wichtigste Klientel darstellten. Seinen Einfluss im Reich konnte der Kaiser auf vielerlei Wegen geltend machen. Zu den Bischofswahlen schickte er Wahlkommissare; an allen größeren Höfen im Reich und in den meisten Reichsstädten unterhielt er ständige, bisweilen äußerst einflussreiche Residenten. Auf den Reichstag nahm er sowohl Einfluss über den Prinzipalkommissar als seinen Stellvertreter als auch über die Stimmen seines eigenen Hauses in der Fürstenkurie. 1708 setzte er zudem durch, dass er als König von Böhmen auch wieder Sitz und Stimme in allen kurfürstlichen Gremien führte.

Das wichtigste Instrument kaiserlicher Einflussnahme im Reich war indessen der Reichshofrat, sowohl als oberster Lehnshof und Regierungsbehörde als auch vor allem als Gerichtshof. 1654 hatte Ferdinand III. eine neue Reichshofratsordnung erlassen, ohne die Reichsstände zu konsultieren. Dort war immer ein *votum ad Imperatorem* möglich, d. h. der Kaiser behielt sich grundsätzlich das letzte Wort vor und fungierte damit nach wie vor als oberster Richter. Das machte ihn zum Schlichter zwischen den Reichsständen, zwischen Landesherren und Landständen, zwischen Obrigkeiten und Untertanen. In vielen Fällen hinderte der Reichshofrat Fürsten, ihr Land durch Misswirtschaft in den Ruin zu treiben, indem er eine kommissarische Übergangsverwaltung einsetzte. Vor allem schritt er mehrfach zugunsten der Landstände gegen absolutistische Tendenzen der Landesherren ein. Die spektakulärsten Fälle dieser Art betrafen die Ständekonflikte in Mecklenburg und in Württemberg. In beiden Ländern wurden schließlich den Ständen durch Herrschaftsverträge (1755 bzw. 1770) ihre Privilegien langfristig gesichert. Durchsetzbar waren Reichshofratsurteile allerdings nur gegen mindermächtige Stände, denn wer hätte sie gegen mäch-

tige Reichsfürsten wie Braunschweig-Lüneburg oder Brandenburg-Preußen exekutieren sollen?

Auch der Reichstag wurde mehr und mehr zum Instrument
der kaiserlichen Einflussnahme im Reich. 1663 berief der Kaiser
ihn erneut nach Regensburg ein, weil die Türkengefahr wieder
akut geworden war. Mit den immer noch unerledigten *negotia
remissa* stand für die Fürsten auch wieder die grundlegende Reform der Reichsverfassung auf der Agenda (S. 90 f.), insbesondere das Projekt einer beständigen Wahlkapitulation. Die Verhandlungen zogen sich endlos hin; einvernehmliche Lösungen
gab es ebenso wenig wie schon 1654. Aber über den Beratungen
zeigte sich mehr und mehr, dass die Gesandtenversammlung
auch anderen Zwecken diente als denjenigen, zu denen sie einberufen worden war. Der Reichstag ließ sich nutzen als Informa-
tionszentrum, zur Überwindung von Kommunikationsproble-
men, zur Absprache in außenpolitischen Fragen, vor allem zur
kaiserlichen Einflussnahme auf die kleineren Reichsstände. Die
Gesandten gingen daher nicht mehr auseinander; der Reichstag
wurde immer wieder verlängert und entwickelte sich wie von
selbst zu einer «immerwährenden» Institution. Dabei veränderte er seinen Charakter erheblich. Kaiser und Fürsten kamen
nicht mehr in Person, sondern ließen sich von Gesandten vertreten. Da sich mit der Zeit immer mehr Territorien in der Hand
der großen Fürstenhäuser konzentrierten und da die mindermächtigen Stände sich oft keine eigenen Gesandten leisten
konnten, führten einzelne Gesandte meist zahlreiche Stimmen
zugleich. Aus den fallweise einberufenen prunkvollen höfischen
Solennitäten wurde eine bürokratisierte Dauerveranstaltung;
ihre hoch formalisierten Regeln wurden mehr und mehr zu einer
«Geheimwissenschaft» der Gesandten (K. O. von Aretin). Als
Gesetzgebungsorgan fungierte der Reichstag nur noch selten, so
bei gemeinsamen wirtschaftlichen Interessen der Reichsstände:
Die letzten großen Gesetzeswerke waren die Reichshandwerks-
ordnungen von 1731 und 1772. Den größten Nutzen vom Im-
merwährenden Reichstag hatte zweifellos der Kaiser, obwohl
Regensburg weder das einzige noch das wichtigste Forum seiner
Politik war. Den größten Nachteil von der Verstetigung hatten

die Kurfürsten: In Zeiten, als der Reichstag nicht einberufen worden war, war das Kurkollegium aufgrund seines Selbstversammlungsrechts oft allein reichspolitisch handlungsfähig gewesen; diese Monopolstellung hatte es nun nicht mehr.

Die wichtigsten Reformanstrengungen, die der Immerwährende Reichstag im 17. Jahrhundert unternahm, betrafen die Verteidigungsfähigkeit des Reiches, die *materia securitatis publica*. Wiederum spielte die führende Rolle Kurfürst Johann Philipp von Schönborn, der von Gottfried Wilhelm Leibniz beraten wurde. Leibniz' radikale Reformpläne, die auf einer scharfsinnigen Analyse der Mängel der Reichsverfassung beruhten, ließen sich allerdings nicht verwirklichen. Schönborn hatte schon länger versucht, eine effizientere Verteidigung der Reichsgrenzen durch die Assoziation benachbarter Reichskreise zu organisieren. Nun kam es angesichts der französischen Aggression nach langen Beratungen endlich zu einer Reform des Militärwesens im Reich. Das Thema war seit jeher besonders heikel, weil sich mit einem Reichsheer immer das Problem kaiserlichen Machtmissbrauchs stellte – so war es schon unter Karl V. und unter Ferdinand III. gewesen. Immerhin verabschiedete aber der Reichstag 1681/82 eine Reihe von Beschlüssen, die zum Bestand der Reichsgrundgesetze hinzutraten und eine Art «Reichskriegsverfassung» darstellten. Sie legte Regeln für die fallweise – nicht dauernde! – Aufbringung eines Reichsheeres von maximal 60000 Mann unter dem Oberbefehl eines Reichsgeneralfeldmarschalls fest. Das Heer sollte von den zehn Reichskreisen nach einem bestimmten Schlüssel aufgestellt werden. Wie sich die einzelnen Kreiskontingente zusammensetzten und wie viel jeder Kreisstand zu finanzieren hatte, sollten die betreffenden Kreise selbst festlegen. Zur Finanzierung wurden eine «General-Reichs-Kriegs-Cassa» unter einem Generalkriegskommissar sowie einzelne Kreiskassen eingerichtet. Ein Fünftel des Heeres entfiel auf den österreichischen Reichskreis, d. h. auf den Kaiser. Dieser behielt sich allerdings den Oberbefehl über seine Kreistruppen vor, die also nur pro forma ein Reichskontingent darstellten, de facto aber Teil des kaiserlichen Heeres blieben. Das Recht, die für den Kreis zu stellenden Truppen nicht der Reichs-

generalität zu überlassen, sondern den eigenen Generälen anzu-
vertrauen, nahmen dann andere «armierte Stände» ebenfalls für
sich in Anspruch. So behielt etwa Brandenburg-Preußen, dessen
Territorien über viele Kreise verstreut waren, seine Truppen insgesamt unter einem einheitlichen eigenen Oberkommando zusammen. Die Reform ließ also eine schlechthin zentrale Frage
ungelöst, nämlich die Frage des einheitlichen Oberbefehls und
der zentralen Verfügung über die Reichskriegskasse. Als oberster Kriegsherr im Reich galt der Kaiser, der aber an den Konsens des Reichstags gebunden war, was Kriegserklärung, Bestel-
lung der Reichsgeneralität usw. betraf. Im Kriegsfall war das
alles kaum praktikabel. Reichskriegserklärungen und erst recht
die aufgebotenen Truppen hinkten daher dem tatsächlichen
Kriegsgeschehen, das die Reichsfürsten mit ihren eigenen Truppen führten, meist weit hinterher.

Die Reform des Reichsmilitärs stellte einen Kompromiss zwischen Kaiser und Ständen dar und blieb in zwei wesentlichen
Punkten hinter dem zurück, was andere moderne Heere kennzeichnete: Das Reichsheer folgte keinem einheitlichen Oberbefehl und war kein stehendes Heer. Damit blieb das Reich in
seiner Verteidigungsfähigkeit massiv eingeschränkt; es kam als
Ganzes nie in den Besitz des Gewaltmonopols, das als zentrales
Kennzeichen souveräner Staatlichkeit gilt.

Ein zentrales Problem der Reichsordnung blieb – auch nach
dem Westfälischen Frieden – das konfessionelle Nebeneinander.
Durch die Paritätsregeln und das «Normaljahr» war die konfessionelle Landkarte zwar bis ins kleinste Detail festgeschrieben,
aber die Verhältnisse ließen sich auf die Dauer nicht gegen Veränderungen und Konflikte immunisieren. Neben Territorien mit
weitgehend einheitlicher Landeskonfession gab es zahlreiche
Länder mit komplizierten und teilweise bizarren gemischtkonfessionellen Lagen. So gab es etwa in den Bistümern Minden und
Halberstadt teilweise katholische Domkapitel, aber keinen katholischen Bischof; in Osnabrück wechselte sich ein katholischer
Bischof mit einem protestantischen Prinzen aus dem Haus Han-
nover ab. In «Kondominaten» kam es vor, dass sich zwei oder
mehr Landesherren unterschiedlicher Konfession die Herrschaft

über ein Territorium teilten. In den so genannten «Simultaneen» («*simultaneum religionis exercitium*») nutzten beide Konfessionen abwechselnd dieselben Kirchen. Die Konfessionsverhältnisse waren aber nicht nur dort so kompliziert, wo sie es schon 1624 gewesen waren. Sie verschoben sich auch zunehmend dadurch, dass Landesherren konvertierten, die dann zwar nicht mehr alle Untertanen zur Konversion zwingen konnten, aber die eigenen Konfessionsverwandten, z.B. Glaubensflüchtlinge aus dem Ausland, im Land ansiedelten. Viele Reichsstände traten im 17. und vor allem im 18. Jahrhundert wieder zum katholischen Glauben über, vor allem Nebenlinien alter protestantischer Häuser, die auf die Ressourcen in der Reichskirche und am Kaiserhof besonders angewiesen waren. Außerdem konvertierte der Kurfürst von Sachsen um der polnischen Krone willen; später wurden sogar der Herzog von Württemberg und der Landgraf von Hessen-Kassel katholisch. Am konfliktträchtigsten wurden die Rekatholisierungstendenzen in der Kurpfalz, wo die katholische Nebenlinie Pfalz-Neuburg 1685 den Thron erbte und mit Repressalien gegen die protestantische Bevölkerung begann. Das war ein klarer Verstoß gegen den Westfälischen Frieden. Im Gegenzug drohten Brandenburg und Braunschweig Repressalien gegen ihre eigenen katholischen Untertanen an, so dass es beinahe zu einem neuen Konfessionskrieg gekommen wäre.

Ein weiterer Stein des Anstoßes fand sich 1697 im Frieden von Rijswijk, der den Pfälzischen Krieg beendete. Frankreich musste zwar Teile der zuvor einverleibten Territorien wieder an das Reich zurückgeben, doch die so genannte «Rijswijker Klausel» besagte, dass die dort vorgenommenen Rekatholisierungen nicht rückgängig gemacht werden durften. An dieser Klausel entzündeten sich in der Folgezeit immer wieder Konfessionsauseinandersetzungen; sie war für die Protestanten eine dauerhafte Provokation.

Seit den 1720er Jahren wurde die Frage virulent, wer in Religionsfragen die höchste Entscheidungsinstanz sei. Zuvor hatte der Kaiser unabhängige Religionsdeputationen eingesetzt, um konfessionelle Konflikte zwischen den Reichsständen zu regeln. Die protestantischen Reichsstände bestritten nun in Religions-

fragen grundsätzlich die Rolle des Kaisers als höchster Schieds-
richter ebenso wie die Zuständigkeit von Deputationen und
Reichsgerichten und beanspruchten, dass in Religionsfragen
allein der Reichstag zuständig sei. Dort aber bestand ja gemäß
Westfälischem Frieden in Religionssachen der Zwang zur gütlichen Einigung zwischen den beiden Konfessionsparteien und
damit die stete Gefahr der Blockade. Der Anspruch der protestantischen Stände, prinzipiell alles, was irgendwie mit der Konfession zu tun hatte – und welche Sache hatte das nicht? – vor
den Reichstag zu bringen (*recursus ad comitia*) und ihr gemeinsames Agieren als geschlossenes *corpus evangelicorum* (die
evangelische Hälfte des Reichstags) wirkten sich in der Folgezeit fatal auf das Funktionieren der Reichsverfassung aus. Auf
diese Weise wurden immer mehr Konflikte in die konfessionelle
Lagerbildung hineingezogen und ihre Lösung in dem Maße
blockiert, wie die protestantischen Mächte England-Hannover
und Brandenburg-Preußen den Konfessionsgegensatz für ihre
machtpolitischen Zwecke instrumentalisierten.

VIII. Das Zeitalter
der machtpolitischen Polarisierung
(1740–1790)

Im Laufe des 18. Jahrhunderts litt das Reich immer mehr an
inneren Spannungen, die letztlich seine Integrationskraft über-
forderten. Ein wachsendes Missverhältnis bestand zwischen den
mächtigen und den mindermächtigen Reichsgliedern: Den einen
stand der Reichsverband zunehmend im Weg, für die anderen
war er geradezu existenznotwendig. Ihre hergebrachten Rechte
und Freiheiten wurden durch die Grundgesetze und Institutionen des Reiches aber nur dann geschützt, wenn die großen
Reichsstände und insbesondere der Kaiser diesen Institutionen
Rückhalt verliehen, weil sie selbst ein Interesse an der Reichsein-
heit als solcher hatten. In dem Maße, wie andere machtpoliti-

sche Interessen für sie in den Vordergrund traten und sie bereit
waren, die Reichsinstitutionen rücksichtslos dafür zu instrumentalisieren oder ganz zu ignorieren, büßte die Reichsverfassung
ihre Funktionsfähigkeit ein. Das galt im 18. Jahrhundert nicht
nur für Brandenburg-Preußen und England-Hannover, sondern
mindestens ebenso sehr für die Habsburger, denn alle drei Dynastien hatten inzwischen ihre Machtschwerpunkte außerhalb
des Reiches. Wohl kaum etwas macht den Bedeutungsverlust der Kaiserwürde so deutlich wie die Tatsache, dass Kaiser
Franz I. (1745–1765) selbst ein Gutachten über die Frage in
Auftrag geben ließ, ob die Kaiserkrone für das Haus Habsburg
überhaupt noch von Nutzen sei.

Eine wachsende Spannung ergab sich zugleich zwischen der
Rechtsbewahrungstendenz des Reichsverbandes als Ganzem
und der Dynamik der Machtstaatentwicklung in den großen
Ländern. Die «Diskrepanz zwischen Veränderungsbedürftigkeit
und Veränderungsfähigkeit der Reichsverfassung» (G. Haug-
Moritz) wurde immer größer. Während der Westfälische Frieden grundsätzlich alle Rechte, Freiheiten und Privilegien sämt-
licher unmittelbaren und mittelbaren Reichsglieder in ihrer
komplexen, teilweise noch mittelalterlichen Struktur festgeschrieben hatte, entwickelten sich in den Ländern der großen
Reichsfürsten Strukturen moderner Staatlichkeit, die über gewachsene Rechtsbestände hinwegschritten. Stützen konnten
sich die Fürsten dabei auf die neuen Ideale eines politischen
Rationalismus, der den Staat nach strengen Kriterien der Ver-
nünftigkeit und Zweckmäßigkeit von Grund auf neu gestalten
wollte. Die moderne Vernunftrechtstheorie lehrte, dass der Staat
auf vertraglicher Übereinkunft der Einzelnen beruhe, die sich
aus freiem Willen einer Obrigkeit unterworfen und diese zur
Gestaltung im Sinne des Staatszwecks autorisiert hätten. Dieser
Staatszweck wurde nicht mehr nur in der Erhaltung von Frieden
und Recht gesehen, sondern in der Herbeiführung «allgemeiner
Glückseligkeit», was dem landesfürstlichen Gestaltungswillen
Tür und Tor öffnete. Traditionen und Privilegien, die diesem
aufklärerischen Optimismus im Weg standen und nichts für sich
hatten als ihr ehrwürdiges Alter, wurden mehr und mehr zum

Gegenstand der Kritik. Das Reich als Gesamtverband und alles, was von ihm geschützt wurde, erschien vielen – nicht allen – Aufklärern als Inbegriff eines nicht mehr legitimationsfähigen, «gotischen» Traditionalismus.

Diese Kritik richtete sich nicht zuletzt gegen die «geistlichen Wahlstaaten», d. h. die Fürstbistümer und Fürstabteien. Man beklagte, dass es dort keine Regierungskontinuität gebe und dass die Wahlen den Einflüssen der mächtigen Nachbarfürsten und der päpstlichen Kurie ausgesetzt seien. Vor allem seien die Territorien dem Eigennutz der privilegierten adeligen Dom- und Stiftskapitulare ausgeliefert, die sich für ihre Wahlstimmen belohnen ließen und sich überdies während jeder Sedisvakanz auf Kosten des Stifts bereicherten. Grundsätzlich wurde die Verbindung der kirchlichen Ämter mit weltlichen Herrschaftsrechten, Gütern, Privilegien und höfischem Lebensstil in Frage gestellt. Auch katholische Aufklärer bemerkten, dass sich das Pfründensystem mit dem Seelsorgeauftrag ihrer Inhaber schlecht vertrug. Die aufklärerische Kritik richtete sich aber nicht nur gegen die geistlichen Fürstentümer, sondern ganz allgemein gegen die Verfasstheit der Kirche auf allen Ebenen des Reiches. Das kam den Interessen katholischer Landesherren sehr entgegen. Die Aneignung von mediatem Kirchengut förderte ja nicht nur ihre Finanzkraft, sondern vor allem die Einheitlichkeit ihrer Herrschaft. Deshalb waren geistliche Fürstentümer, Klöster und Stifte zunehmend von Säkularisierung auch durch katholische Fürsten bedroht.

Die neuen rationalistischen Vorstellungen machten sich die Fürsten und ihre Refombürokratien in vielen Ländern zu Eigen – vor allem der preußische König Friedrich II., der Große, der in der aufklärerischen Öffentlichkeit weithin als Lichtgestalt verehrt wurde, und der spätere Kaiser Joseph II. Friedrich der Große war zugleich derjenige, der Preußen auf Kosten Österreichs zu europäischem Großmachtstatus verhalf und damit die machtpolitische Polarisierung besiegelte, die den Reichsverband schließlich sprengen sollte.

Kaiser Karl VI. war 1740 ohne Söhne gestorben. Zuvor hatte er 1713 mit der «Pragmatischen Sanktion» im Haus Habsburg

die weibliche Thronfolge eingeführt, um seinen riesigen Länder-
komplex seiner Tochter Maria Theresia vererben zu können.
Die europäischen Mächte und der Reichstag hatten das gegen
allerlei Zugeständnisse auch akzeptiert. Als aber Maria Theresia, die seit 1736 mit Franz Stephan von Lothringen verheira-
tet war, nach dem Tod des Vaters die Thronfolge als Erzherzogin
von Österreich und Königin von Ungarn und Böhmen antreten
wollte, machte man ihr das streitig. Weibliche Regentschaft war
in der Frühen Neuzeit stets eine prekäre Sache und ein Einfalls-
tor für konkurrierende Herrschaftsansprüche von Nebenlinien,
Landständen oder Nachbarmächten. In diesem Fall nutzte
Friedrich II. von Preußen die Gunst der Stunde und überfiel kurz
nach seinem eigenen Herrschaftsantritt das böhmische Neben-
land Schlesien, was einen klaren Rechtsbruch darstellte. Zugleich ergriffen Kursachsen und Kurbayern die Gelegenheit,
meldeten Ansprüche auf Teile des österreichischen Erbes an und
fielen mit französischer Unterstützung in die habsburgischen
Länder ein (Österreichischer Erbfolgekrieg, 1740–1748). Damit
führten nun mehrere Reichsglieder gegeneinander Krieg, während das Reich als Gesamtheit sich heraushielt.

Unterdessen wählten die Kurfürsten 1742 zum ersten Mal
seit rund drei Jahrhunderten wieder einen Nichthabsburger
zum Kaiser: den wittelsbachischen Kurfürsten Karl Albrecht von
Bayern. Dazu kam es zum einen, weil vier der Kurstimmen (Bayern, Köln, Trier und Pfalz) im Besitz der beiden Linien des Hauses
Wittelsbach waren, die sich 1724 zu einer «Hausunion» verbün-
det hatten, zum anderen aber deshalb, weil Preußen und Frankreich als Gegner Habsburgs die Kandidatur massiv unterstütz-
ten. Ohne große eigene Hausmacht war der neue Kaiser
allerdings vollständig von dem Geld und der Gunst seiner mächtigen Gönner abhängig. Karl VII. wurde zwar mit allem hergebrachten Prunk in Frankfurt zum Kaiser gekrönt, hatte aber gar
nicht die Mittel, sein Amt wirklich auszufüllen. Weil die österreichischen Truppen Bayern besetzt hatten, war er gehindert, von
seiner Residenz in München aus zu regieren, und musste stattdessen die meiste Zeit in Frankfurt residieren, wohin auch der
Reichstag umzog. Erst als Friedrich II. 1744 erneut in den Krieg

gegen Maria Theresia eintrat, konnte Karl VII. vorübergehend nach München zurückkehren. Wie fatal es für das Reich war, dass ein Kaiser ohne ausreichende eigene Machtgrundlage regierte, zeigte sich vor allem darin, dass Karl VII. mit Unterstützung Friedrichs plante, zur Stärkung seiner Hausmacht die um und in seinem Territorium liegenden Fürstbistümer zu säkularisieren und sie zusammen mit den Reichsstädten Regensburg, Augsburg und Ulm in sein Territorium einzugliedern, also Mitgliedern der angestammten kaiserlichen Klientel ihre selbstständige Existenz zu nehmen. Das war geradezu ein Verrat am Kaisertum, das ja seine ganze Legitimität aus der Wahrung von Frieden und Recht und aus dem Schutz der Mindermächtigen bezog, und hatte einen massiven Glaubwürdigkeitsverlust zur Folge.

Als Karl VII. schon wenig später starb, gab es keine Alternative zur Kaiserwahl Franz Stephans von Lothringen, weil nur er als Ehemann von Maria Theresia über die nötige Hausmacht verfügte und die Interessen des Reiches gegenüber mächtigen Nachbarn wie Frankreich behaupten konnte. Ohne die Stimmen von Brandenburg und der Pfalz wurde er 1745 zum Kaiser gewählt. Aber der Autoritätsverlust des Kaisertums war nicht mehr rückgängig zu machen. Ein deutliches Zeichen dafür war die Krise der Thronbelehnungen. Karl VII. hatte Friedrich dem Großen in einem Geheimvertrag versprochen, dass er das herkömmliche Belehnungsritual nicht mehr einzuhalten brauche. Kniefall und Eid der Fürsten bzw. ihrer Gesandten vor dem Kaiserthron bei jeder Lehnserneuerung begründete ja seit dem Mittelalter ihre persönliche Treuebindung an den Kaiser und symbolisierte die Herleitung ihrer Herrschaft vom Reichsverband. Das vertrug sich nun nicht mehr mit ihrem Anspruch, im Kreis der europäischen Mächte als selbstständige Akteure aufzutreten. Was Karl VII. dem preußischen König einmal zugestanden hatte, verlangten die anderen Kurfürsten und Fürsten von Franz I. nun auch. Es war mehr als ein Symptom, dass von da an keiner der großen weltlichen Fürsten mehr seine Lehen in Wien erneuerte, obwohl der Kaiser immer neue zeremonielle Zugeständnisse machte. Je mehr er versuchte, die Fürsten zu dem Ritual zu bewegen, desto offener lag seine Ohnmacht zutage.

Der Gegensatz Preußen–Österreich verband sich nun strukturell mit dem Konfessionsgegensatz. Die norddeutschen Reichsstände waren mehrheitlich protestantisch, die süddeutschen und besonders die vielen kleinen und kleinsten hingegen mehrheitlich katholisch. Sein machtpolitischer Aufstieg ließ Preußen zur Schutzmacht der kleineren protestantischen Stände werden und veranlasste diese, ihre bisher durchaus unterschiedlichen Interessen der preußischen Vormacht unterzuordnen. Im norddeutsch-protestantischen Raum besaß Preußen selbst zahlreiche der Reichs- und Kreistagsstimmen, die übrigen mittleren und kleineren Stände unterlagen seinem Einfluss. Da im *corpus evangelicorum*, d. h. in der evangelischen Hälfte des Reichstags, das Mehrheitsprinzip galt, konnte Preußen das ganze Gremium durch seine strukturelle Stimmenmehrheit dominieren. Daher lag es in seinem Interesse, alle möglichen politischen Konflikte zu Religionssachen zu erklären und vor den Reichstag zu tragen. Die Instrumentalisierung der *itio in partes* (S. 85) lähmte aber auf Dauer die Verhandlungen und führte dazu, dass der Reichstag seine Bedeutung als Forum des politischen Ausgleichs einbüßte.

Die konfessionspolitische Polarisierung des Reiches konnte sich Preußen auch in seinem dritten Krieg gegen Österreich zunutze machen, im Siebenjährigen Krieg (1756–1763), der zugleich ein gesamteuropäischer Mächtekonflikt war. Der Krieg beruhte auf einem spektakulären Umsturz der bündnispolitischen Fronten: Um Schlesien zurückzugewinnen, verbündete sich Habsburg mit seinem alten Rivalen und Gegner Frankreich und mit der aufsteigenden Großmacht Russland, während Preußen eine Allianz mit England-Hannover einging. Auf diese Weise verquickte sich der Dualismus zwischen Österreich und Preußen mit der weltpolitischen Auseinandersetzung zwischen England und Frankreich um deren überseeische Kolonien. Friedrich II. begann den Krieg mit einem Einfall in Kursachsen, um sich dessen militärischer und wirtschaftlicher Ressourcen für die Auseinandersetzung mit Österreich bedienen zu können. Aus preußischer Sicht handelte es sich um einen Konflikt zwischen zwei unabhängigen Souveränen – nämlich dem König von

Preußen und der Königin von Ungarn und Böhmen –, der mit dem Reich nichts zu tun hatte. Trotz seines Übergriffs auf das protestantische Kernland Sachsen gelang es Friedrich, den Krieg gegen Österreich, Frankreich und Russland vor der Reichsöffentlichkeit als Dienst an der protestantischen Sache auszugeben. Die Konfession war das «Vehikel, das Mobilisierung und unbedingte Solidarität» der anderen evangelischen Stände versprach (Georg Schmidt). Deshalb – und wegen seines Bündnisses mit dem alten Reichsfeind Frankreich – hatte der Kaiser es schwer, die Unterstützung des Reiches gegen Friedrich zu mobilisieren. Die Verhängung der Reichsacht wegen Landfriedensbruchs scheiterte zunächst an den protestantischen Ständen. Nur mühsam gelang es, eine Reichstagsmehrheit für die militärische Exekution gegen den preußischen Einfall in Sachsen zu gewinnen und ein Reichsheer gegen Friedrich aufzustellen. Insgesamt offenbarte der Krieg die ganze Strukturschwäche des Reiches als politisch und militärisch handlungsfähige Einheit. Die Stände hatten kein gleichgerichtetes Interesse an der Führung dieses Reichskriegs, und selbst als sie sich darauf verständigt hatten, waren sie zu effizienter gemeinsamer Kriegführung nicht in der Lage. Nach und nach scherten einzelne Reichsstände aus dem Krieg aus und schlossen separat mit Preußen Frieden. Schließlich bewirkte die Mehrheit der protestantischen Stände, dass der Reichstag kurz vor Kriegsende das Reich wieder offiziell für neutral erklärte. Am Ende verhinderte die konfessionelle Polarisierung der Reichsverfassung ein einheitliches Vorgehen des Reiches gegen den Landfriedensbruch Preußens, das Schlesien im Frieden von Hubertusburg behalten konnte.

Ein Jahr später, 1764, wurde der älteste Sohn Franz' I., Joseph, zum Römischen König gewählt, ein weiteres Jahr später folgte er seinem Vater als Kaiser, während er sich die Regierung über die österreichischen Erbländer mit seiner Mutter Maria Theresia bis zu deren Tod 1780 teilen musste. Die Königswahl Josephs II. ist berühmt, weil Goethe sie später in seiner Autobiographie rückblickend zum Symbol für den Zustand des Reiches als «überlebtes Welttheater» stilisiert hat: Das mittelalterliche Ritual der Krönung habe «das durch so viele Pergamente, Papiere und Bücher beinah verschüttete deutsche Reich wieder für einen Augenblick lebendig» dargestellt (Dichtung und Wahrheit I, 5). Anachronistisch erschien das Ritual aus der Rückschau vor allem deshalb, weil Joseph selbst ein politischer Rationalist war, der sein Handeln streng an utilitaristischen Erwägungen orientierte und den mit dem Traditionalismus des Reiches nichts verband. In seinen Erbländern verfolgte er ein radikales Reformprogramm, schaffte altüberkommene Rechte und Privilegien ab und setzte sich dabei vor allem über das Kirchenrecht hinweg, um eine österreichische Staatskirche zu etablieren. Ähnliche Ziele verfolgte der Kurfürst von Pfalz-Bayern mit der Einrichtung einer ständigen päpstlichen Nuntiatur in München 1784, womit seine Territorien aus der Reichskirche weitgehend herausgelöst wurden. Das stand in scharfem Kontrast zu dem Programm, das der Trierer Weihbischof Hontheim unter dem Pseudonym Febronius 1763 formuliert und das großes Aufsehen erregt hatte. Danach sollte sich die Reichskirche vom römischen Einfluss unabhängig machen und auf dieser Grundlage womöglich sogar die Konfessionsspaltung überwinden. Die gegensätzlichen kirchenpolitischen Zielsetzungen führten zu einem langwierigen und komplizierten Streit zwischen Erzbischöfen, Bischöfen und weltlichen Landesherren um die Struktur der Reichskirche und ihr Verhältnis zu Rom, was aber die langfristige Tendenz zur Etablierung landesherrlicher Staatskirchen letztlich nicht aufhielt.

Auch als Kaiser trat Joseph II. zunächst als aufklärerischer Reformer auf, doch das Reich entzog sich seinem rationalistischen Gestaltungswillen. Das zeigt sich beispielhaft in seinem Versuch einer grundlegenden Visitation des Reichskammergerichts, die sich von 1767 bis 1776 hinzog.

Das Gericht war chronisch unterfinanziert, die Assessoren waren überfordert und mussten bestochen werden, damit sie einen Fall überhaupt behandelten, der Verfahrensgang war umständlich und für Verzögerungen anfällig und die Urteile waren schwer exekutierbar, zumal sich der umstrittene Rekurs an den Reichstag immer mehr eingebürgert hatte. Die erste ordentliche Visitationskommission seit über anderthalb Jahrhunderten

Audienz am Reichskammergericht in Speyer, 1668, Kupferstich

sollte nun die Finanzen kontrollieren, ausstehende Gelder ein-
treiben, die unerledigten Verfahren ordnen und Amtsvergehen
der Assessoren aufklären. Doch auch die Visitationskommission, die ja konfessionsparitätisch besetzt sein musste, wurde
von der konfessionellen Polarisierung und den Eigeninteressen
der Reichsstände auf Schritt und Tritt blockiert. Symptomatisch
für die strukturelle Reformunfähigkeit des Reiches war, dass
sich an scheinbar geringfügigen Details reichsrechtliche Grund-
satzkonflikte entspinnen konnten, die jedes effiziente Handeln
erstickten. Nicht nur in der Visitationskommission, sondern
auch auf dem Reichstag und in anderen Reichsgremien waren es
immer wieder Konflikte um Fragen des zeremoniellen Umgangs,
der Sitzordnung und der Titulatur, die die Verfahren aufhielten
und teilweise über Jahre blockierten. Für die kleineren Stände
waren das allerdings keine überflüssigen Eitelkeiten, sondern
juristische Überlebensfragen, von denen für sie die Wahrung
ihres selbstständigen Status abhing.

Aus der Schwerfälligkeit der Reichsgremien zog Joseph II. die
Konsequenz, sich von der Reichspolitik abzuwenden und auf
die habsburgische Machtpolitik zu konzentrieren. Dass er dabei
keinerlei Rücksicht auf hergebrachtes Recht nahm, war deshalb
besonders fatal, weil er als Kaiser ja als oberster Hüter des
Reichsrechts galt und seine Autorität und Legitimität gerade
darauf beruhten. Der Kaiser selbst unterhöhlte daher die Kaiserwürde am nachhaltigsten.

Das zeigte sich vor allem im Streit um die bayerische Erbfolge.
Wie meist in dieser Epoche wurde ein dynastischer Erbfall zum
Kriegsanlass. 1777 war die bayerische Linie der Wittelsbacher
ausgestorben. Nach dem Hausrecht der Dynastie erbte die kur-
pfälzische Linie den bayerischen Thron, womit auch die beiden
Kurwürden wieder zu einer zusammen fielen. Joseph II. erhob
nun Anspruch auf Teile des Erbes und bot dem Kurfürsten Karl
Theodor von der Pfalz an, ihm die habsburgischen Niederlande
im Tausch gegen ganz Bayern zu überlassen. Ein solcher «Län-
derschacher», wie ihn die aufgeklärte Öffentlichkeit anpran-
gerte, war unter den Dynastien der Zeit durchaus üblich –
ähnlich war auch schon mit Polen und Lothringen verfahren

worden. Joseph verstieß nun allerdings gegen Reichsrecht, indem er seine Truppen in Bayern einmarschieren ließ, ohne das Verhandlungsergebnis abzuwarten. Die Nebenlinie Pfalz-Zweibrücken wandte sich daraufhin an Friedrich II. um Hilfe, und es kam zum Bayerischen Erbfolgekrieg (1778–79), der dem preußischen König die Gelegenheit bot, sich als Verteidiger der Reichsverfassung gegen den Kaiser zu präsentieren. Im Frieden von Teschen einigte man sich unter Vermittlung Russlands. Damit wurde erneut wie schon 1648 ein auswärtiger Monarch als Garant des Friedens in die Reichsverfassung einbezogen.

Die gleiche Rolle als Hüter der Reichsordnung und Beschützer der mindermächtigen Stände spielte der preußische König auch 1785 noch einmal, indem er – immer noch gegen das weiterhin verfolgte bayerisch-habsburgische Ländertauschprojekt – mit einer Reihe mittlerer und kleiner Reichsstände einen Fürstenbund schloss, dem sogar der Kurerzkanzler beitrat. Während es diesen um den Schutz ihrer Unabhängigkeit ging, nutzte Friedrich den Bund als Gegengewicht gegen Habsburg; an einer Reform des Reichsverbandes und einer Effizienzsteigerung seiner Institutionen hatte er keinerlei Interesse.

Beim Tod Friedrichs II. 1786 und Josephs II. 1790 war die Lage gänzlich polarisiert. Der österreichisch-preußische Dualismus hatte die ganze Reichsverfassung in Mitleidenschaft gezogen; alle Institutionen waren in den Sog dieses machtpolitischen Gegensatzes geraten, und eine zentrale Rolle hatte dabei die verfassungsmäßig verankerte Konfessionsparität gespielt, die von beiden Seiten instrumentalisiert werden konnte. Die mindermächtigen Reichsstände hatten sich diesem Sog nicht entziehen können; sie waren zur Parteinahme gezwungen. Die mächtigen Monarchen, die ihren Rang und Status längst nicht mehr vom Reichsverband herleiteten, hatten am Reich als solchem kein Interesse mehr; sie beriefen sich darauf nur, solange es ihnen nützlich war. Sobald ein Verstoß gegen die Reichsverfassung ihnen den größeren Nutzen versprach, schreckten sie davor nicht zurück. So bedurfte es nur eines Impulses von außen, um das ganze Reichsgebäude zum Einsturz zu bringen.

IX. Das Ende des Reiches
(1790–1806)

Am 14. Juli 1792, dem dritten Jahrestag des Bastillesturms, wurde Kaiser Franz II. demonstrativ in den traditionellen mittelalterlichen Formen gekrönt. Der Kontrast zu dem, was zur gleichen Zeit in Frankreich vor sich ging, hätte nicht größer sein können. Die Wahrnehmung der Französischen Revolution im Reich war indes gespalten: Manche begeisterten sich für den französischen Freiheitskampf und hielten den Zeitpunkt für gekommen, auch diesseits des Rheines entschlossener gegen die überkommenen Privilegien und veralteten Strukturen vorzugehen, die vom Reichsrecht gehütet wurden. Das französische Vorbild führte dazu, dass die hergebrachte «Konstitution» in einer zuvor ungeahnten Weise theoretisch zur Disposition gestellt wurde. Hier und da kam es sogar zu regionalen Aufständen, so in Lüttich 1789 und in Kursachsen 1790. Andere fühlten sich hingegen eher in ihrem Reichspatriotismus bestärkt: Das, was in Frankreich erst erkämpft werden müsse, so meinten sie, genieße man im Reich und seinen Ländern schon seit dem Mittelalter, nämlich institutionalisierte Schutzwehren gegen monarchischen Despotismus. Der Kaiser sei durch die Partizipationsrechte der Reichsstände eingeschränkt; die Reichsstände seien umgekehrt durch den Kaiser und die Reichsgerichte an Willkürherrschaft in ihren Ländern gehindert. Dass die traditionellen «Freiheiten» der Reichs- und Landstände etwas anderes waren als die universelle «Freiheit», um die es in Frankreich ging, blieb dabei meist verborgen. Optimistischerweise erwarteten viele vom bloßen Druck des öffentlichen Diskurses und der zwingenden Kraft der vernünftigen Einsicht, dass sich die noch ausstehenden Reformen am Ende durchsetzen würden.

Diese Hoffnung hatte sich vor allem an Kaiser Leopold II. geknüpft, denn er hatte als Großherzog der Toskana durch ein modernes Verfassungsprojekt von sich reden gemacht und schien anders als sein Bruder Joseph auch gewillt, seine Reformprojekte nicht ohne Partizipation der Betroffenen durchzuführen. Er starb indes schon nach zweijähriger Regierung (1790–1792). Bei der raschen Wahl seines Sohnes Franz II. kurz darauf sah man im Reich bereits einem Krieg entgegen. Preußen und Österreich hatten 1790 eine Defensivallianz geschlossen. Als der französische Nationalkonvent nun im April 1792 Österreich den Krieg erklärte, glaubten sie gemeinsam rasch politische Gewinne machen und zugleich ihren hochadeligen Verwandten und Standesgenossen zu Hilfe kommen zu können (1. Koalitionskrieg, 1792–1797). Nach anfänglichen Erfolgen kam es allerdings im September 1792 zur Niederlage der Koalition bei Valmy. Der Kaiser forderte den Reichstag auf, einen Reichskrieg gegen Frankreich zu beschließen; aber erst im März des folgenden Jahres schloss sich das Reich als Ganzes dem Koalitionskrieg an, nachdem die Hinrichtung des französischen Königs im Januar 1793 in der deutschen Öffentlichkeit einen Stimmungswandel bewirkt hatte.

Unterdessen hatten die Revolutionstruppen aber bereits mehrere linksrheinische Reichsterritorien erobert und sich angeschickt, die Revolution nach Europa zu exportieren, wie es der Nationalkonvent im Dezember 1792 zum Programm erhoben hatte. Dabei schien die revolutionäre Mission zunächst auf die Befreiung der Deutschen vom «Joch des Feudalismus» hinauszulaufen. Ein Vorbild schien Mitte 1792 die Gründung einer «Mainzer Republik» auf dem Boden des geistlichen Kurfürstentums zu bieten, die allerdings schon im folgenden Jahr von den Koalitionstruppen wieder beseitigt wurde. Die deutschen Revolutionsanhänger mussten bald feststellen, dass die Franzosen von der anfänglich propagierten Selbstbestimmung der befreiten deutschen Untertanen wieder abrückten und die besetzten Gebiete stattdessen in die französische Republik inkorporierten. Kriegskontributionen, Truppeneinquartierungen und gewalttätige Übergriffe ließen die Begeisterung für die Revolution mehr und mehr schwinden, zumal die Berichte über die Schreckensherrschaft der Jakobiner die Aufklärungseliten allgemein ernüchterten. Es entstanden zwar auch weiterhin Verfassungspläne für eine «deutsche Republik», und gelegentlich bedienten sich lokale Unruhen der französischen Freiheitssymbole, aber all das führte nicht zu einer koordinierten revolutionären Bewegung im Reich.

Gegen Ende des Jahres 1794 forderte der Reichstag den Kaiser zum Friedensschluss auf, weil die kleinen Reichsstände die hohen Kriegskosten nicht mehr aufbringen konnten. Brandenburg-Preußen machte sich zu deren Anwalt und scherte 1795 im Frieden von Basel aus der Koalition gegen Frankreich aus. Dieser Friedensschluss stellte einen klaren Verstoß gegen die Reichsverfassung dar, denn Preußen gab darin nicht nur das linke Rheinufer preis, sondern ließ sich als Gegenleistung für seine Neutralität auch rechtsrheinische Entschädigungen zusagen. Die Reichsterritorien nördlich der Mainlinie wurden in den Frieden einbezogen. Das bedeutete, dass das Reich fortan in eine neutrale nördliche und eine unter österreichischem Druck weiterhin Krieg führende südliche Hälfte gespalten war. Erst zwei Jahre später sah sich auch Österreich zum Frieden gezwungen, den allerdings Franz II. nicht in seiner Eigenschaft als Kaiser, sondern als König von Ungarn und Böhmen schloss (Campo Formio 1797) und der demselben Geist folgte wie der Friede von Basel: Auch hier wurden die Gebiete loyaler Reichsglieder preisgegeben und auf deren Kosten Entschädigungen für die österreichischen Verluste in Aussicht genommen. Auf den Friedenskongress in Rastatt, der 1797 begann, schickte der Reichstag noch eine Deputation mit dem Verhandlungsziel, die Integrität des Reiches zu bewahren, was sich aber schon bald als illusorisch erwies. Ohne dass der Kongress abgeschlossen worden wäre, kam es zum Wiederausbruch des Krieges, der nach zwei Jahren mit dem Sieg Frankreichs – inzwischen unter Führung Napoleons – endete (2. Koalitionskrieg, 1799–1801). Dessen Politik gegenüber dem Reich verfolgte das Ziel, die mittleren Reichsstände, das «Dritte Deutschland», als Gegengewicht gegenüber Österreich und Preußen zu stärken, woran auch Russland – das seit dem Frieden von Teschen ja Garantiemacht der Reichverfassung war – mitwirkte. Im Frieden von Lunéville

(1801) wurde das linke Rheinufer abgetreten und der Entschädigung der betroffenen Fürsten durch rechtsrheinische Gebiete zugestimmt. Zur Ausarbeitung dieser Umverteilungen setzte der Reichstag eine außerordentliche Reichsdeputation ein, die aus den Gesandten von Mainz, Böhmen, Sachsen, Brandenburg, Bayern, Württemberg, Hessen-Kassel und dem Deutschen Orden bestand. Diese Deputation nahm – in offiziellen reichsrechtlichen Verfahrensformen – die Abwicklung elementarer Grundlagen der Reichsverfassung vor und schrieb die Rechtsbrüche offiziell fest, die die großen Reichsfürsten in ihren separaten Friedensschlüssen bereits vorweggenommen hatten. Am 25. Februar 1803 wurde der förmliche «Reichsdeputationshauptschluss» verabschiedet, der den von Russland und Frankreich vorgegebenen Umverteilungsplan absegnete. Dabei ging man weit über die bloße Entschädigung der linksrheinisch begüterten weltlichen Fürsten hinaus; man nahm vielmehr eine geradezu revolutionäre Umgestaltung der gesamten territorialen Besitzverhältnisse vor. Der Rhein wurde die Grenze zu Frankreich. Die geistlichen Fürstentümer wurden für ihre linksrheinischen Verluste nicht etwa entschädigt, sondern ganz aufgelöst und ihre Territorien als Dispositionsmasse an die großen und mittleren Reichsstände verteilt. Allein der Mainzer Kurerzkanzler Karl Theodor von Dalberg blieb verschont und erhielt ein neu zugeschnittenes Territorium Aschaffenburg-Regensburg. Die Gebietsveränderungen wurden ohne jede Rücksicht auf gewachsene Rechtsverhältnisse und Ländergrenzen vorgenommen; auch viele landständische Verfassungen hörten dadurch auf zu existieren. Manche frankreichfreundlichen Fürsten, wie Bayern, Baden und Württemberg, erhielten das Sechs- bis Neunfache dessen an Territorialbesitz, worüber sie vorher verfügt hatten. Die meisten Reichsstädte wurden mediatisiert, d. h. büßten ihre Autonomie ein und wurden ebenfalls in die sie umgebenden Territorien der Reichsfürsten eingegliedert. Insgesamt verloren rund 110 rechtsrheinische Reichsstände ihre Existenz – neben den linksrheinischen, die von Frankreich annektiert worden waren. Die Reichsritter blieben zwar im Reichsdeputationshauptschluss selbst noch verschont; aber es lag in der Logik der

Sache, dass sich im Herbst 1803 die Reichsfürsten – allerdings ohne formale Rechtsgrundlage – auch ihrer Güter bemächtigten. Neben der Herrschaftssäkularisation, d. h. der Auflösung der geistlichen Fürstentümer, wurde eine allgemeine Vermögenssäkularisation durchgeführt, d. h. auch alle landsässigen Klöster und Stifte wurden säkularisiert, und ihre Güter gingen in die Verfügungsmasse ein. Sie fielen den neuen Landesherren zu, denen sie zur Finanzierung von Gottesdienst, Armenfürsorge und Bildungswesen dienen sollten. Die neuen Großterritorien waren nun alle konfessionell gemischt. Der Konfessionsstand von 1803 sollte garantiert werden, und die Landesherren sollten ihren Untertanen Kultusfreiheit gewähren. Die katholische Kirche im Reich veränderte ihre Struktur völlig; ihre Amtsträger verloren ihre politischen Herrschaftsrechte, Pfründen und Privilegien und sollten in Zukunft allein für die Seelsorge zuständig sein. Damit entfielen sowohl die adeligen Versorgungschancen als auch die Hindernisse, die die Rechte der Kirche noch der landesherrlichen Souveränität entgegengesetzt hatten.

Dem Reichsdeputationshauptschluss stimmten Kaiser und Reichstag förmlich zu. Er war paradoxer Weise ein Reichsgesetz, das mit dem hergebrachten Reichsverfassungsrecht in fundamentaler Weise brach und de facto den Zerfall des Reiches um drei Jahre vorwegnahm, zugleich aber die alten Formen und Titel nicht nur beibehielt, sondern sogar teilweise noch inflationär vermehrte, indem Württemberg, Baden, Hessen-Kassel und Salzburg nun noch neue Kurwürden erhielten. Die Beschlüsse bedeuteten eine «territoriale Revolution» zugunsten der großen und mittleren Fürstentümer und schafften die Voraussetzungen für eine von alten Rechtsbeständen befreite staatliche Modernisierungspolitik. Dass die Großen nur auf eine Gelegenheit warteten, sich die Kleinen einzuverleiben, hatte man durchaus seit langem vorhersehen können. Gottfried Wilhelm Leibniz hatte schon 1670 angesichts der Probleme, ein Reichsheer zu organisieren, bemerkt: «selbst Reichs-Glieder freuen sich, dass kein flicken an der form unser Republick geholffen, und hoffen vom einfallenden haus guthe stücken zu erwischen, etwas neues damit zu bauen, und warten dahehr auf gelegenheit noch einen guten stoß, doch also dass man ihnen die schuld nicht geben könne, daran zu thun.»

Die endgültige Auflösung des Reichsverbands war danach nur noch eine Frage der Zeit. 1804 proklamierte Franz II. – kurz nach Napoleons Annahme des Titels «Kaiser der Franzosen» – seinerseits ein österreichisches Erbkaisertum. Damit stellte er demonstrativ die dynastisch-habsburgische Identität über die der traditionellen Kaiserwürde – womöglich, weil er schon zu diesem Zeitpunkt mit dem Ende des Reiches rechnete, das die alte Kaiserwürde gegenstandslos machte.

Im dritten Koalitionskrieg gegen Frankreich 1805 kämpften bereits einzelne Reichsfürsten, nämlich Bayern, Baden und Württemberg, auf französischer Seite gegen Österreich. Franz II. wurde bei Austerlitz geschlagen und musste im Frieden von Pressburg territoriale Verluste hinnehmen, die das Haus Habsburg noch weiter aus dem Reichsgebiet hinausdrängten. Die Kurfürsten von Bayern und von Württemberg nahmen den Königstitel an. Die mittleren Fürstentümer wurden weiter arrondiert, jetzt vor allem auf Kosten von Reichsgrafen und Reichsrittern. Ganz Norddeutschland stand nun unter preußischer Hegemonie, Süddeutschland unter französischer Protektion; die kleinen Reichsstände hatten ihre selbstständige Existenz als Herrschaftsträger eingebüßt. In dieser Situation kämpfte der Kurerzkanzler Dalberg immer noch um die Fortexistenz eines handlungsfähigen Restreiches, eines «Dritten Deutschland» ohne Preußen und Österreich, womöglich sogar mit Napoleon als Kaiser. Das erwies sich als Illusion; die Fürsten hatten kein Interesse an der Einschränkung ihrer Souveränität. Stattdessen schlossen sie sich dem von Napoleon am 12. Juli 1806 gegründeten Rheinbund an, dessen Leitung Dalberg als Fürstprimas anvertraut wurde. Napoleon forderte ultimativ den Rücktritt Franz' II. als Kaiser, und die Rheinbundfürsten erklärten auf dem Reichstag ihren förmlichen Austritt aus dem Reich. Am 6. August 1806 legte Franz II. daraufhin die Kaiserkrone nieder, erklärte das Reich seinerseits für aufgelöst und alle Reichsstände ihrer Bindungen für ledig. Damit hörte der Reichsverband auf zu existieren.

X. Noch einmal:
Was war das Alte Reich?

Zu Beginn dieses Buches war die Rede davon, dass das Reich kein Staat im modernen Sinne war. Was aber war es dann? Zum Schluss soll noch einmal versucht werden, die Frage positiv zu beantworten und in elf Punkten die Besonderheiten dieses politischen Verbandes zu benennen.

1. Das Reich war ein auf Tradition und Konsens beruhender Verband. Seine Ordnung bestand teils in gewohnheitsrechtlichem Herkommen, teils in ausdrücklichen Vereinbarungen – und nicht etwa in einer obrigkeitlichen Satzung, denn eine höchste Gewalt, die einseitig über das Recht hätte verfügen können, gab es nicht. Als Recht galt, was entweder von der Heiligkeit «unvordenklichen» Alters umgeben war und seit langem unwidersprochen praktiziert wurde oder was von den beteiligten Herrschaftsträgern vereinbart worden war. Vor allem die schriftlich fixierten «Reichsgrundgesetze» hatten einen solchen vertraglichen Charakter. Sie bildeten Inseln im Meer des gewohnheitsrechtlichen Herkommens. Die Rechtsordnung hatte nicht den Charakter einer systematisch aufgebauten Verfassung, sondern eher den einer kumulativen, in sich vielfach widersprüchlichen Summe von Rechtsbeständen.

2. Das Reich war ein Personenverband, der im Kern bis zum Schluss auf gegenseitigen persönlichen Treueverpflichtungen beruhte. Ein Netz von Eiden verband die Personen auf allen Ebenen der Herrschaftsordnung miteinander: Reichsvasallen mit dem Kaiser, Landstände mit ihren Landesherren, Stadträte mit den Bürgergemeinden, Erbuntertanen mit ihren Grundherren usw. Demonstrative öffentliche Rituale, nämlich Krönungen, Belehnungen, Huldigungen, Ratswechsel, Schwörtage, Amtseinsetzungen usw., stifteten oder bekräftigten diese wechselseitigen Verpflichtungen. Da es noch nicht wie in der Mo-

derne eine systematische, schriftlich kodifizierte Verfassung gab, musste die Ordnung des Ganzen in symbolischen Inszenierungen immer wieder erneuert werden.

3. Das Reich war ein hierarchisch strukturierter Verband. Er bestand aus einer komplexen Ordnung von Gliedern verschiedenen Ranges, die in unterschiedlicher Weise am Ganzen teilhaben konnten, vom Kaiser und den Kurfürsten an der Spitze über die Fürsten bis hinunter zu Städten und Rittern. Diese Glieder übten ihrerseits Herrschaftsrechte über Untertanen aus. Die einzelnen Untertanen hatten nur indirekt, vermittelt und in unterschiedlicher Abstufung Anteil am Reich; umgekehrt hatte der Kaiser keinen direkten Zugriff auf sie. Ein einheitliches gleiches Reichsbürgerrecht gab es nicht.

4. Das Reich war ein Friedens- und Rechtswahrungsverband und von seiner Struktur her defensiv. Zum Reich zu gehören bedeutete für alle – unmittelbare wie mittelbare – Glieder, unter dem Schutz seines Landfriedens zu stehen, Recht vor Reichsgerichten suchen zu können und direkt oder indirekt zu den Reichslasten beizutragen. Die Rechte, die das Reich wahrte, waren allerdings grundsätzlich ungleich. Das Rechtssystem war ein System ineinander verschachtelter, «wohlerworbener» Rechte, Freiheiten und Privilegien («*iura quaesita*»). Rechtssicherheit, also Stabilität von Erwartungen, resultierte unter diesen Umständen gerade nicht, wie im modernen Rechtsstaat, aus der systematischen Gleichheit der Normen für alle, sondern umgekehrt aus ihrer historisch gewachsenen Differenz. Der Prozess fortschreitender Verrechtlichung, der das Reich die ganze Frühe Neuzeit hindurch kennzeichnete, bedeutete zum einen, dass Konflikte zunehmend gerichtsförmig ausgetragen wurden. Er bedeutete aber zum anderen auch, dass alle alten Rechtsbestände, die entweder gewohnheitsrechtlich hergebracht oder schriftlich verbrieft waren, sich der Veränderung weitgehend entzogen, was die Reformfähigkeit des Reiches vor allem im 18. Jahrhundert nachhaltig beeinträchtigte.

5. Das Reich war ein ständisch-korporativer Verband. Da sich erworbene Rechte besser von einer Gemeinschaft wahren ließen als von Einzelnen, hatten sich in der Regel all diejenigen,

die die gleichen Privilegien und Freiheiten genossen, zu deren gemeinschaftlicher Wahrung in ständischen Korporationen zusammengeschlossen, und zwar meist schon im Laufe des Spätmittelalters. «Stände» im politischen Sinne waren solche Personengruppen, die die gleichen Rechte genossen, den gleichen Leistungsverpflichtungen unterlagen und diese in organisierter Form ausübten: in den verschiedenen Ständekurien auf Landtagen oder Reichstagen, auf Städte-, Grafen- oder Rittertagen usw.

6. Im Reich waren politische und soziale Ordnung noch nicht voneinander getrennt. Die Beziehungen zwischen den unmittelbaren Reichsgliedern waren nicht anonym und abstrakt wie die der Funktionsträger in modernen formalen Organisationen, sondern sie beruhten noch in hohem Maße auf persönlicher Nähe, Verwandtschaft und Patronage. Persönliche, dynastische, korporative oder ständische Ehre waren wesentliche Motive politischen Handelns.

7. Im Reich waren religiöse und politische Ordnung nicht voneinander getrennt. Zwar wurde in zwei großen Schritten – 1555 und 1648 – das friedliche Nebeneinander der Konfessionen im Reichsrecht verankert. Dadurch wurden aber die Konfessionen nicht zu politisch irrelevanten Privatangelegenheiten, ganz im Gegenteil: Durch die Paritätsregeln waren auf Reichsebene alle politischen Verfahren von dem Konfessionsgegensatz durchdrungen.

8. Das Reich war ein Verband heterogener Glieder unter einem Oberhaupt, dem Kaiser. Dabei war strukturell wesentlich, dass es ein nur geringes Machtgefälle zwischen dem Oberhaupt und den mächtigsten Gliedern gab. Der Kaiser als solcher verfügte daher nur über eine autoritative Macht, d. h. er war die legitimationsspendende Spitze des Ganzen, besaß aber keine wirksame Erzwingungsgewalt, die von seiner dynastischen Hausmacht unabhängig gewesen wäre. Alle Versuche, eine zentralistische kaiserliche Machtpolitik gegen die Reichsstände gewaltsam durchzusetzen, scheiterten. Der Gesamtverband ließ sich nur in dem Maße integrieren, wie auch die mächtigen Glieder ein Interesse daran hatten. Die Heterogenität der Reichsglie-

der, ihre Verschiedenheit an Macht, Größe, Rang und Rechtsstatus, bewirkte, dass sie auch ein unterschiedlich ausgeprägtes Interesse an der politischen Einheit des Gesamtverbandes hatten: Für die Kleinen und Mittleren war die Solidarität des Reiches existenziell notwendig; für die Großen war sie teils nützlich, teils lästig. Diese Interessenheterogenität nahm im Laufe der Frühen Neuzeit dramatisch zu. Je mehr sich die territorialen Schwerpunkte der Großen aus dem Reichsverband hinaus verlagerten, desto deutlicher war dessen Integrationskraft überfordert.

9. Aus der insgesamt losen und ungleichmäßig wirksamen Integrationskraft des Reichsverbandes, aus den politischen Interessengegensätzen innerhalb des Verbandes, aber auch aus der schieren Größe des Reiches folgte die Notwendigkeit zu zeitlich begrenzten föderativen Zusammenschlüssen über die Ständegrenzen hinweg. Solche regional oder konfessionell ausgerichteten bündischen Organisationen – vom Schwäbischen Bund über Liga und Union bis zum Fürstenbund – prägten die Reichsstruktur die ganze Frühe Neuzeit hindurch. Auch die einzelnen Reichskreise und die Assoziationen mehrerer benachbarter Kreise hatten einen solchen Charakter. Sie konnten dazu dienen, die Exekutionsschwäche des Gesamtverbandes oder einzelner Glieder auszugleichen, sie konnten aber auch als konfessionelle Sonderbünde – vor allem wenn auswärtige Mächte einbezogen wurden – zur politischen Frontbildung innerhalb des Reiches führen.

10. Das geringe Machtgefälle zwischen den großen Reichsgliedern hatte eine schwach ausgeprägte zentrale Erzwingungsgewalt zur Folge. Es gab keine Exekutivorgane, die von den Reichsständen unabhängig gewesen wären. Viele Verfahren der Konfliktbeilegung, des Ausgleichs und der Herrschaftskontrolle, zum Beispiel durch kaiserliche Kommissionen und Kreisexekutionen, funktionierten gut, solange sie nicht gegen die Interessen mächtiger Stände verstießen. Gegen deren Willen allerdings ließen sich zentrale Entscheidungen nur schwer oder gar nicht durchsetzen. Das zeigte sich vor allem in den Krisen des Mehrheitsprinzips in der Reformationszeit, im Vorfeld des Dreißig-

jährigen Krieges und im Zeitalter des preußisch-österreichischen Dualismus. Die geringe Durchsetzbarkeit von Entscheidungen gegen den Widerstand mächtiger Stände führte dazu, dass in den politischen Gremien ein hohes Maß an Konsensdruck bestand. Man musste sich einvernehmlich einigen, sonst riskierte man, dass gar keine Entscheidung zustande kam. In Fällen, in denen sich kein Konsens finden ließ, blieben Konflikte deshalb oft über Jahrzehnte unausgetragen.

11. Das Reich war in den verschiedenen Phasen seiner Geschichte in unterschiedlichem Maße dazu in der Lage, sich an veränderte Umstände anzupassen. Die strukturellen Herausforderungen des Spätmittelalters stimulierten eine intensivere Kooperation und führten zur institutionellen Verfestigung. Aus der Zerreißprobe der Reformationszeit gingen die Reichsinstitutionen insgesamt gestärkt hervor. Reichsständische Libertät und Kooperation als Gesamtverband schlossen sich nicht aus. Erst die konfessionelle Lagerbildung des ausgehenden 16. Jahrhunderts überforderte die Konsensbildung und blockierte sämtliche Verfahren. Der Ausgang des Dreißigjährigen Krieges zeigte wiederum, dass das Reich nur in einer Balance zwischen ständischer Libertät, kaiserlicher Autorität und gemeinsamen Institutionen Bestand haben konnte. Erst im 18. Jahrhundert war der Gesamtverband der staatlichen Entwicklungsdynamik seiner mächtigsten Glieder nicht mehr gewachsen. Nachdem es Luther, Gustav Adolf und Ludwig XIV. überstanden hatte, fiel das Reich am Ende seiner eigenen Reformunfähigkeit zum Opfer.

Kaiser in der Frühen Neuzeit

1493–1519	Maximilian I. (röm. König seit 1486)
1519–1558	Karl V.
1558–1564	Ferdinand I. (röm. König seit 1531)
1564–1576	Maximilian II. (röm. König seit 1562)
1576–1612	Rudolf II. (röm. König seit 1575)
1612–1619	Matthias
1619–1637	Ferdinand II.
1637–1657	Ferdinand III. (röm. König seit 1636)
1658–1705	Leopold I.
1705–1711	Joseph I. (röm. König seit 1690)
1711–1740	Karl VI.
1742–1745	Karl VII. (Karl Albrecht von Bayern)
1745–1765	Franz I. (Franz Stephan von Lothringen)
1765–1790	Joseph II. (röm. König seit 1764)
1790–1792	Leopold II.
1792–1806	Franz II.

Weiterführende Literatur

Quellen

Arno Buschmann (Hg.), Kaiser und Reich, 2 Bde., 2. Aufl. Baden-Baden 1994.

Hanns Hubert Hofmann, Quellen zum Verfassungsorganismus des Heiligen Römischen Reiches Deutscher Nation 1495–1815, Darmstadt 1976.

Rainer A. Müller (Hg.), Deutsche Geschichte in Quellen und Darstellungen, Bd. 3: Reformationszeit; Bd. 4: Gegenreformation und Dreißigjähriger Krieg; Bd. 5: Zeitalter des Absolutismus; Bd. 6: Von der Französischen Revolution bis zum Wiener Kongress, 1789–1815, Stuttgart 1996–97 (Reclam Universalbibliothek 17004–17006).

Samuel Pufendorf, Die Verfassung des deutschen Reiches (Erstausgabe 1667), Stuttgart 1976 (Reclam Universalbibliothek 966).

Allgemeine Überblicksdarstellungen zur Geschichte des Reiches

Heinz Duchhardt, Deutsche Verfassungsgeschichte 1495–1806, Stuttgart 1991.

Axel Gotthard, Das Alte Reich 1495–1806 (Geschichte kompakt), Darmstadt 2003.

Helmut Neuhaus, Das Reich in der Frühen Neuzeit (Enzyklopädie deutscher Geschichte, Bd. 42), München 1997.

Wolfgang Reinhard (Hg.), Gebhard Handbuch der deutschen Geschichte, Bde. 9–12: Frühe Neuzeit bis zum Ende des Alten Reiches (1495–1806), 10., völlig neu bearbeitete Aufl. Stuttgart 2001–2006.

Georg Schmidt, Geschichte des Alten Reiches. Staat und Nation in der Frühen Neuzeit 1495–1806, München 1999.

Dietmar Willoweit, Deutsche Verfassungsgeschichte. Vom Frankenreich bis zur Wiedervereinigung Deutschlands, 5. Aufl. München 2005.

Spätmittelalterliche Vorgeschichte und Zeitalter der «Reichsreform»

Karl-Friedrich Krieger, König, Reich und Reichsreform im Spätmittelalter (Enzyklopädie deutscher Geschichte, 14), München 1992.

Peter Moraw, Von offener Verfassung zu gestalteter Verdichtung. Das Reich im späten Mittelalter 1250–1490, Berlin 1985.

Peter Moraw, Der Reichstag zu Worms von 1495, in: 1495. Kaiser – Reich – Reformen. Der Reichstag zu Worms, hrsg. von Claudia Helm u. a., Koblenz 1995, S. 25–37.

Ernst Schubert, Einführung in die deutsche Geschichte im Spätmittelalter, 2. Aufl. Darmstadt 1998.

Zeitalter von Reformation und Konfessionalisierung

Johannes Burkhardt, Das Reformationsjahrhundert. Deutsche Geschichte zwischen Medienrevolution und Institutionenbildung 1517–1617, Stuttgart 2002.

Axel Gotthard, Der Augsburger Religionsfrieden, Münster 2004.

Martin Heckel, Deutschland im konfessionellen Zeitalter, Göttingen 1983.

Alfred Kohler, Karl V. 1500–1558. Eine Biographie, München 1999.

Alfred Kohler, Das Reich im Kampf um die Hegemonie in Europa 1521–1648 (Enzyklopädie deutscher Geschichte 6), München 1990.

Albrecht P. Luttenberger, Reichspolitik und Reichstag unter Karl V. Formen zentralen politischen Handelns, in: Heinrich Lutz, Alfred Kohler (Hg.), Aus der Arbeit an den Reichstagen unter Kaiser Karl V., Göttingen 1986, S. 18–68.

Heinrich Lutz (Hg.), Das römisch-deutsche Reich im politischen System Karls V. (Schriften des Historischen Kollegs. Kolloquien, Bd. 1), München/Wien 1982.

Horst Rabe, Deutsche Geschichte 1500–1600. Das Jahrhundert der Glaubensspaltung, München 1991.

Heinz Schilling, Aufbruch und Krise. Deutschland 1517–1648. Das Reich und die Deutschen, Berlin 1998.

Anton Schindling, Walter Ziegler (Hg.), Die Territorien des Reiches im Zeitalter der Reformation und Konfessionalisierung, 7 Bde., Münster 1989–1997.

Winfried Schulze, Deutsche Geschichte im 16. Jahrhundert. 1500–1618 (Neue Historische Bibliothek), 2. Aufl. Frankfurt a. M. 1990, Nachdruck Darmstadt 1997.

Gunter Zimmermann, Die Einführung des landesherrlichen Kirchenregiments, in: Archiv für Reformationsgeschichte 76 (1985), S. 146–168.

Dreißigjähriger Krieg und Westfälischer Frieden

Johannes Burkhardt, Der Dreißigjährige Krieg (Neue Historische Bibliothek), Frankfurt/Main 1992.

Klaus Bussmann, Heinz Schilling (Hg.), 1648. Krieg und Frieden in Europa, 2 Bde., Göttingen 1998.

Fritz Dickmann, Der Westfälische Frieden, 6. Aufl. Münster. 1972.

Heinz Duchhardt (Hg.), Der Westfälische Friede. Diplomatie – politische Zäsur – kulturelles Umfeld – Rezeptionsgeschichte, München 1998.

Christoph Link, Die Bedeutung des Westfälischen Friedens in der deutschen Verfassungsentwicklung. Zum 350jährigen Jubiläum des Reichsgrundgesetzes, in: Zeitschrift für bayerische Kirchengeschichte 67 (1998), S. 12–62.

Paul Münch, Das Jahrhundert des Zwiespalts. Deutschland 1600–1700, Stuttgart/Berlin/Köln 1999.

Volker Press, Kriege und Krisen. Deutschland 1600–1715 (Die neue deutsche Geschichte, hg. von Peter Moraw, Bd. 5), München 1991.

Konrad Repgen, Dreißigjähriger Krieg, in: Theologische Realenzyklopädie, Bd. IX, Berlin/New York 1982, S. 169–188.

Georg Schmidt, Der Dreißigjährige Krieg, 2. Aufl. München 1996.

Vom Westfälischen Frieden bis zum Ende des Reiches

Karl Otmar Freiherr von Aretin, Das Alte Reich 1648–1806, 3 Bde., Stuttgart 1993–1997.

Karl Otmar Freiherr von Aretin, Vom Deutschen Reich zum Deutschen Bund, Göttingen 1980.

Christof Dipper, Deutsche Geschichte 1648–1789 (Neue Historische Bibliothek), Frankfurt a. M. 1991.

Heinz Duchhardt, Altes Reich und europäische Staatenwelt 1648–1806 (Enzyklopädie deutscher Geschichte, Bd. 4), München 1990.

Horst Möller, Fürstenstaat oder Bürgernation. Deutschland 1763–1815 (Siedler Deutsche Geschichte. Die Deutschen und ihre Nation), Berlin 1989, Taschenbuchausgabe Berlin 1998.

Gabriele Haug-Moritz, Kaisertum und Parität. Reichspolitik und Konfessionen nach dem Westfälischen Frieden, in: Zeitschrift für historische Forschung 19 (1992), S. 445–482.

Helmut Neuhaus, Das Ende des Alten Reiches, in: ders./Helmut Altrichter (Hg.), Das Ende von Großreichen, Erlangen/Jena 1996, S. 185–209.

Johannes Kunisch, Absolutismus. Europäische Geschichte vom Westfälischen Frieden bis zur Krise des Ancien Régime, 2. Aufl. Göttingen 1999.

Volker Press, Die kaiserliche Stellung im Reich zwischen 1648 und 1740 – Versuch einer Neubewertung, in: ders., Das Alte Reich. Ausgewählte Aufsätze, hg. von Johannes Kunisch, Berlin 1997, S. 189–222.

Heinz Schilling, Höfe und Allianzen. Deutschland 1648–1763 (Siedler Deutsche Geschichte. Das Reich und die Deutschen), Berlin 1989, Taschenbuchausgabe Berlin 1998.

Einzelne Institutionen

Rosemarie Aulinger, Das Bild des Reichstags im 16. Jahrhundert. Beiträge zu einer typologischen Analyse schriftlicher und bildlicher Quellen, Göttingen 1980.

Bernhard Diestelkamp, Recht und Gericht im Heiligen Römischen Reich, Frankfurt a. M. 1999.

Bernhard Diestelkamp, Rechtsfälle aus dem Alten Reich. Denkwürdige Prozesse vor dem Reichskammergericht, München 1995.

Peter Claus Hartmann (Hg.), Reichskirche – Mainzer Kurstaat – Reichskanzler, Frankfurt a. M. u. a. 2001.

Gerhard Köbler, Historisches Lexikon der deutschen Länder. Die deutschen Territorien vom Mittelalter bis zur Gegenwart, 4. Aufl. München 1992.

Peter Moraw, Hoftag und Reichstag von den Anfängen im Mittelalter bis 1806, in: Parlamentsrecht und Parlamentspraxis in der Bundesrepublik Deutschland. Ein Handbuch, hg. von Hans-Peter Schneider und Wolfgang Zeh, Berlin/New York 1989, S. 3–47.

Helmut Neuhaus, Das Problem der militärischen Exekutive in der Spätphase des Alten Reiches, in: Johannes Kunisch (Hg.), Staatsverfassung und Heeresverfassung in der europäischen Geschichte der frühen Neuzeit, Berlin 1986, S. 297–346.

Rita Sailer, Untertanenprozesse vor dem Reichskammergericht. Rechtsschutz gegen die Obrigkeit in der zweiten Hälfte des 18. Jahrhunderts, Köln/Weimar/Wien 1999.

Ingrid Scheurmann (Hg.), Frieden durch Recht. Das Reichskammergericht von 1495 bis 1806. Katalog zur gleichnamigen Ausstellung, Mainz 1994.

Anton Schindling/Walter Ziegler (Hg.), Die Kaiser der Neuzeit 1519–1918. Heiliges Römisches Reich, Österreich, Deutschland, München 1990.

Anton Schindling, Die Anfänge des Immerwährenden Reichstags zu Regensburg. Ständevertretung und Staatskunst nach dem Westfälischen Frieden, Mainz 1991.

Klaus Schlaich, Maioritas – protestatio – itio in partes – corpus Evangelicorum. Das Verfahren im Reichstag des Heiligen Römischen Reiches Deutscher Nation nach der Reformation, in: Zeitschrift der Savigny-Stiftung für Rechtsgeschichte KA 94(1977), S. 264–299; 95(1978), S. 139–179.

Winfried Schulze, Reichskammergericht und Reichsfinanzverfassung im 16. und 17. Jahrhundert, Wetzlar 1989.

Barbara Stollberg-Rilinger, Zeremoniell als politisches Verfahren. Rangordnung und Rangstreit als Strukturmerkmale des frühneuzeitlichen Reichstags, in: Zeitschrift für historische Forschung, Beiheft 19 (1997), S. 91–132.

Michael Stolleis, Geschichte des öffentlichen Rechts in Deutschland, Bd. 1: Reichspublizistik und Policeywissenschaft 1600–1800, München 1988.

Bernd Herbert Wanger, Kaiserwahl und Krönung im Frankfurt des 17. Jahrhunderts, Frankfurt a. M. 1994.

Wolfgang Wüst (Hg.), Reichskreis und Territorium: Die Herrschaft über der Herrschaft? Supraterritoriale Tendenzen in Politik, Kultur, Wirtschaft und Gesellschaft. Ein Vergleich süddeutscher Reichskreise, Stuttgart 2000.

Zum Bild des Reiches in den Augen der Zeitgenossen und in der Geschichtsschreibung bis zur Gegenwart

Rainer A. Müller, Bilder des Reiches. Tagung im Kloster Irsee 1994, Sigmaringen 1997.

Volker Press, Das römisch-deutsche Reich – ein politisches System in verfassungs- und sozialgeschichtlicher Fragestellung, in: ders., Das Alte Reich.

Ausgewählte Aufsätze, hg. von Johannes Kunisch, Berlin 1997, S. 18–41.

Wolfgang Reinhard, Frühmoderner Staat und deutsches Monstrum. Die Entstehung des modernen Staates und das Alte Reich, in: Zeitschrift für historische Forschung 29 (2002), S. 339–358.

Anton Schindling, Kaiser, Reich und Reichsverfassung 1648–1806. Das neue Bild vom Alten Reich, in: Olaf Asbach u.a. (Hg.), Altes Reich, Frankreich und Europa. Politische, philosophische und historische Aspekte des französischen Deutschlandbildes im 17. und 18. Jahrhundert, Berlin 2001, S. 25–54.

Matthias Schnettger (Hg.), Imperium Romanum – irregulare corpus – Teutscher Reichs-Staat. Das Alte Reich im Verständnis der Zeitgenossen und der Historiographie, Mainz 2002.

Heinz Schilling, Reichs-Staat und frühneuzeitliche Nation der Deutschen oder teilmodernisiertes Reichssystem. Überlegungen zu Charakter und Aktualität des Alten Reiches, in: Historische Zeitschrift 272 (2001), S. 377–395.

Georg Schmidt, Das frühneuzeitliche Reich – komplementärer Staat und föderative Nation, in: Historische Zeitschrift 272 (2001), S. 371–400.

Bildnachweis

Register

Neuere Geschichte bei C. H. Beck – eine Auswahl

Neuere Geschichte bei C.H.Beck –
eine Auswahl

Verlag C.H.Beck München

Neuere Geschichte bei C. H. Beck – eine Auswahl

Ernst Schulin
Die Französische Revolution
4., überarbeitete Auflage. 2004.
307 Seiten. Leinen
(Beck's Historische Bibliothek)

Uwe Schultz
Richelieu
Der Kardinal des Königs. Eine Biographie
2009. 350 Seiten mit 22 Abbildungen. Gebunden

Uwe Schultz
Der Herrscher von Versailles
Ludwig XIV und seine Zeit
2006. 442 Seiten mit 21 Abbildungen. Gebunden

Barbara Stollberg-Rilinger
Des Kaisers alte Kleider
Verfassungsgeschichte und Symbolsprache des Alten Reichs
2008. 440 Seiten mit 17 Abbildungen. Gebunden

Hans-Ulrich Thamer
Die Französische Revolution
2. Auflage. 2006.
123 Seiten mit 7 Abbildungen. Paperback
(Beck'sche Reihe Band 2347 – C. H. Beck Wissen)

Verlag C. H. Beck München